Ale Velasco

Cómo educar a una nueva generación de varones y "princesas"

Ale Velasco

Cómo educar a una nueva generación de varones y "princesas"

Una guía para padres y maestros

Picolo
Editorial

*Cómo educar a una nueva generación
de varones y "princesas"*

Consejo editorial: Alejandra Velasco y José Francisco Hernández
Diseño de portada: Perla Alejandra López Romo
Fotografía: Fernando Martell Ruíz
Diseño y supervisión editorial: Picolo
Diagramación: Ma. de Lourdes Fuentes

Derechos reservados
© 2009, Alejandra Velasco

ISBN: 978-607-7671-02-2

Impreso en México
Printed in Mexico

**Primera edición: septiembre 2009
Primera reimpresión: noviembre 2009**

Esta edición se terminó de imprimir
en los talleres de:
Editorial Picolo, S.A. de C.V
La Mesa 39-6, Col. Santa Úrsula Xitla

ÍNDICE

Prólogo

En este libro coincidimos quienes atendemos a la convocatoria de Ale Velasco, siempre con su anhelo de construir mejores familias y seres humanos más plenos. La tarea común de educar es todo un reto hoy en día. Somos formadores de la mente, el corazón y el espíritu de nuestros hijos, ¿hay responsabilidad más grande? Pero no nos sentimos suficientemente preparados. Cuando encontramos las respuestas, todo un mundo de nuevas preguntas, inquietudes, desafíos se nos presentan. Por ello es que contar con medios como esta obra, que sirvan realmente de brújula ante una generación de padres cada vez más desorientados, es una oportunidad.

Ciertamente *educar hoy es diferente*. Y es que no estamos viviendo tiempos distintos, ¡estamos inmersos en toda una era diferente! Es la era digital que nos permite cosas increíbles pero también nos presenta grandes riesgos que amenazan la educación de nuestros hijos. En la red se encuentran todo tipo de información y estímulos, muchos de los cuales trastocan valores y otros dan una idea de un mundo que es irreal, que los aleja del esfuerzo, del contacto humano y de la voz de la conciencia que, una vez acallada, no puede obrar con su capacidad de juicio, discernimiento y sabiduría ante los falsos estímulos. A la velocidad de un click se pueden tener noticias, datos, entretenimiento, distracción pero también con un click se puede tener en casa la más absoluta perversión. La alfombra mágica que es el intenet nos lleva a mundos insospechados pero también a laberintos muy peligrosos. Por otra parte tenemos sistemas de televisión de más de 400 canales, a los que muchos de nuestros hijos tienen acceso indiscriminado. El 80% de los niños ven la televisión sin la vigilancia de sus padres y sin filtros que les impidan ver pornografía o tener acceso a películas que cuentan todo tipo de historias. Nos amenazan también las drogas y la facilidad con que se consiguen, nos amenaza la delincuencia e inseguridad en las calles, en los transportes, en todas partes. Las mafias organizadas están al acecho como también el dinero fácil pero perverso. En cuanto al acceso telefónico, los nuevos sistemas nos permiten comunicarnossin problema a cualquier parte del mundo y con cualquier persona, sin que signifique un costo pero con el riesgo —muchas veces— de no saber quién está realmente del otro lado del teléfono y con qué intenciones. En cuanto al conocimiento, los hechos que conforman la historia los conocemos en tiempo real. La geografía la aprendemos en vivo. A través de los mapas y localizadores digitales podemos ver nuestro planeta desde el espacio o la azotea de nuestra casa. Son tiempos verdaderamente sorprendentes y, sin embargo, padres y maestros no tenemos todavía la forma de ponerlos completamente de nuestro lado.

La generación punto com, punto net, o generación next, entre otros muchos nombres con que se le ha bautizado a esta camada de niños y jóvenes, no sabe a qué atenerse. Si los padres estamos desorientados en nuestra más importante tarea, ellos tampoco saben para dónde caminar y con quién realmente cuentan. Y no tener una clara idea de lo que está bien o es inadecuado les crea mucha inseguridad, falta de confianza en sí mismos y grandes problemas para establecer una verdadera identidad basada en sus atributos personales y en la fuerza de su espíritu.

Muchas estructuras que nos daban rumbo se han derrumbado en aras de la modernidad. Por un lado el bombardeo de mensajes distorsionados en todo tipo de medios electrónicos e impresos, que ensalzan el tener más que el ser, y por otra parte la permisividad, laxitud, culpa y falta de firmeza de padres, maestros y tutores que titubean al primer enfrentamiento con los parámetros de los hijos y alumnos, quienes hoy más que nunca ponen en entredicho las palabras y los hechos de sus mayores, que les suenan huecos o carentes de congruencia o consistencia. Antes a un padre no se le podía ni siquiera subir un poco el tono de la voz, hoy niños y adolescentes no sólo les gritan, sino que tienen como su principal argumento para no seguir autoridad de padres y maestros lo que ellos llaman, la *doble cara*, la doble moral.

Todo ello nos implica en una tarea más ardua, más informada, con más conciencia y convicción. Nosotros como educadores tenemos que retomar eso que nuestros padres nos enseñaron y nos obligó a crecer en todos sentidos, como los valores universales, su entrega y amor incondicional, su autoridad a prueba de chantajes pero también estar permanentemente conectados con lo que nuestros hijos están viviendo y desde ahí poder orientarlos con lo que sabemos que fue bueno para nuestro desarrollo.

En esta era inédita no hay que bajar la guardia, necesitamos familias más integradas, contenidas y decentes. Creo que lo fundamental afortunadamente sigue ahí. Y que es eso lo más importante, lo que nos mueve, la energía que todo lo que toca lo hace crecer, y es el AMOR en todas sus manifestaciones, la comprensión, el respeto, la atención, la cortesía, la renuncia, la empatía, la fe, la esperanza, que como las estrellas para los antiguos navegantes son nuestra guía para encontrar rumbo.

AMAR ES DAR LO MEJOR DE UNO MISMO EN BENEFICIO DEL OTRO

Te amo porque deseo que estés bien, porque quiero que crezcas, porque me importas, porque tenemos el gusto de compartir esta vida. ¡Que privilegio, que maravilla! Me encanta estar contigo y me encanta que estés conmigo. Te amo porque creo en ti. Y nos unimos en un abrazo y luego te dejo ir porque me gusta también que seas independiente, seguro, libre, y luego volvemos a abrazarnos, permitiéndonos un espacio para el crecimiento personal.

La familia no sólo es el núcleo en el que se fundamenta la sociedad, sino también el lugar donde se trasmiten valores, creencias y actitudes que van moldeando el corazón de niños y jóvenes. El niño se ve a través de los ojos de los padres. Si esos ojos están llenos de cariño, consideración, paciencia, admiración, congruencia, el niño se verá a sí mismo como un ser valioso, capaz de desarrollar una buena autoestima, de poner en marcha todo su potencial como persona, sus talentos, destrezas y habilidades.

Este libro de Ale Velasco nos habla de esa forma amorosa de ver a nuestros hijos a través de crearles una identidad con la que se sientan confiados de poder convertirse en esas personas que están llamadas a ser.

JULIETA LUJAMBIO

CAPÍTULO I

Hijos cariñosos

Educar a un niño no es hacerle aprender algo que ya sabía, sino hacer de él alguien que no existía.

Muchos padres de familia se preocupan porque sus hijos no son cariñosos y piensan que todos los adolescentes son y serán fríos. Esto no necesariamente es verdad, y hasta podría decir que es falso. El comportamiento y los temperamentos individuales también se aprenden. Si uno crece en una familia acostumbrada a expresar su afecto, a tocarse y abrazarse, los niños asimilan estas conductas a su propia vida. Lo que puedo decir es que lo siembres en la niñez lo cosecharás en la adolescencia. Y aún más allá, hasta abarcar generaciones enteras: si eres una madre o un padre cariñosos, tus hijos serán cariñosos y, en consecuencia, tus nietos también lo serán.

A este fenómeno psicológico y de comportamiento lo llamaremos cadena de abrazos. Es una nueva idea que se me acaba de ocurrir y te invito a que participes activamente en ella. Tiene su fundamento en una actividad que vengo realizando desde hace mucho tiempo. En todas mis conferencias enseño el famoso "*Abrazo de chango-marango*". Es un abrazo expresivo, frente a frente, de corazón a corazón, con duración por lo menos de 20 segundos, este apapacho debe ser muy cálido, con mucho amor, que transmita energía positiva, que sea consciente, que sea un sentimiento que nazca de tu corazón y se transmita a tus brazos. Recuerda que este hermoso ritual de abrazar lo tienes que llevar a cabo 12 veces durante el día, porque desgraciadamente la gente cumple su cuota en Navidad, Año Nuevo y en el cumpleaños, por esto lo vamos hacer consciente, y cuando abraces a tus hijos dale uno de *chango-marango* pero cosquilludo. Ya verás que cuando abraces a tus hijos y les digas: "Les voy a dar un abrazo de *chango-marango*", inmediatamente se van a emocionar porque saben que les vas hacer cosquillas, y esto les fascina.

Te agradecería mucho que transmitieras a cinco personas más, aparte de tu familia, la cadena de abrazos de chango-marango. Ahora más que nunca es necesario impulsar esta clase de manifestaciones afectivas, pues a causa de la epidemia de influenza, las personas se volvieron a alejar, y lo que necesitamos en nuestra sociedad es que nos amamemos y abracemos cada día más.

Yo he dedicado parte de mi carrera profesional a hacer conciencia a los padres de la importancia de mantener un contacto físico con sus hijos, ya que es una situación tan pero tan cotidiana que no se dan cuenta de las grandes maravillas que pueden suceder.

Lo único que he tratado es hacer de lo cotidiano algo para pensar y sentir, no estoy descubriendo ningún hilo negro, es algo que todos lo conocemos pero no lo hacemos. Con este capítulo pretendo informar a los padres de familia de lo fundamental que es, en la vida de sus hijos, que sean abrazados y amados. Éste es el quinto libro de una colección que se llama "El Método del Lenguaje del cariño", que pretende hacer que los padres expresen más su cariño y que conviertan su lenguaje cotidiano en uno más amable y amoroso.

Hace un tiempo fui a dar una conferencia a la Escuela Superior de Guerra. Al principio no fue fácil porque eran como 300 hombres, demasiada testosterona, y ustedes saben que los militares son muy formales. Cuando entré al Auditorio y todos se pararon, me dije: "Ale, tú puedes, son demasiados hombres juntos, pero tú puedes". Y por supuesto que pude. Al final de la conferencia, un teniente me dijo que aún recordaba un comentario que yo había hecho en una conferencia anterior, en la que los motivé a que abrazaran a sus hijos. Él comenzó a hacerlo con su hijo de 14 años y los cambios habían sido muy positivos para su relación.

También recuerdo que, en otra ocasión, antes de comenzar una conferencia en el Tec de Monterrey, una señora se acercó muy bruscamente, me abrazó muy fuerte y dijo que me agradecía mucho haberla hecho consciente de ser más cariñosa con sus hijos, pues gracias a ello su vida familiar había cambiado radicalmente.

Hace un año fui a Colombia a hacer la primera temporada de *Dulces Sueños* en Discovery Home and Health, en aquel entonces tuve la oportunidad de ser la especialista en Sueño con una familia de gemelas que hacía dos años que no dormían. Un año después fui hacer la segunda temporada de mi programa de televisión *Dulces Momentos* en Discovery Home and Health, cuando regresé a Bogotá en compañía de mi madre, tuve la oportunidad de volver a ver a la familia de las gemelas que no dormían. Entonces fui a desayunar con la abuela y la mamá de las niñas, y la señora le dijo algo a mi madre que me llenó de alegría y satisfacción: "Sabes, Marga, tu hija Ale no vino nada más a dormir a mis nietas, sino también a cambiar positivamente la vida de toda la familia". Realmente quería compartir esto contigo porque me llena de emoción. Esto es lo que yo pretendo al escribir: cambiar en la medida de lo posible y de manera positiva tu vida y también la de tus hijos.

Agradezco de corazón a todas las personas que me mandan bendiciones y expresan cariño hacia lo que hago. Realmente todas estas expresiones de amor que recibo me dan la fuerza y el impulso para seguir adelante en mi proyecto de vida de defender a los niños, de ayudar a las mujeres y de equilibrar las familias.

Gracias

Gracias por dejarme entrar a tu vida,

Gracias por abrir tu corazón y dejarme despertar tu conciencia,

Gracias por compartir conmigo tus problemas, tus alegrías, tus logros.

Quiero que sepas que no estás solo ni sola, que a partir de ahora tendrás una persona que te escucha.

Gracias por creer en mí, desde este momento te acompañaré a lo largo del increíble camino de ser madre y padre. Tus hijos crecerán y nosotros también junto a ellos. No te preocupes, ocúpate, vamos de la mano junto a ellos, fortaleciendo sus raíces, fortaleciendo sus alas para que el día de mañana puedan volar sin la necesidad de tu ayuda, siéntete orgulloso de saber que siempre has puesto lo mejor de ti.

Agradece a la vida que te dio la oportunidad de ser madre o padre, es una experiencia invaluable, pero la misión dura sólo unos años.

Cuando llegue el momento, deja que tus hijos emprendan el vuelo.

Ámalos, abrázalos, apapáchalos y después déjalos ir.

CAPÍTULO II

Campeones y princesas

No adelantemos la pubertad de las niñas, para todo hay momento y lugar.

Comenzaremos diferenciando el comportamiento entre los varones y las mujeres. Tanto las madres como los padres debemos estar conscientes de marcar la diferencia en la educación entre el sexo femenino y el sexo masculino.

A lo largo de este libro encontrarás un sinfín de practiconsejos que te ayudarán a conocer mejor a tus hijos y saber la diferencia entre unos y otros, ahí está una de las claves de la educación: conocer su diferencia, desarrollo, qué piensan, qué sienten, conocer a tus hijos y conectarte de corazón a corazón, para que a través de esa conexión logres que te hagan caso y no obedezcan.

En este capítulo hago mención de las "princesas", que es un concepto de los últimos 4 o 5 años. Antes eran las Barbies, pero ahora son las famosas princesas que, en lugar de ser una sola, reunieron a todas: Cenicienta, la Bella

Durmiente, Blanca Nieves, entre muchas otras, y las pobres niñas desde que se levantan se sienten "la princesa", porque están rodeadas de tapetes, cuadros, muñecas, televisiones, ni se diga de las fiestas. Todo es de princesas, hasta la piñata, pero debo decirle a las madres que no compren una piñata de la princesa favorita de la niña, ya que llorará cada vez que le peguen a la preciosa Cenicienta. Mejor compren una de Maléfica, con esto les aseguraré que la niña estará feliz de que le peguen a la bruja malvada y no a su querida Blanca Nieves.

Yo lo que quiero resaltar es que las niñas pueden jugar a las princesas pero no sentirse la princesa, pueden disfrazarse, maquillarse, peinarse, pero para jugar, no para estar todo el día así. ¿Cuántas niñas de menos de 12 años no se ven hermosas porque están maquilladas? Lo único que estamos logrando es ponerlas en un pedestal para que los hombres las admiren. Creo que para todo hay edad y de lo que sí estoy segura es de que antes de adolescencia no es conveniente que las niñas se maquillen, ni se pinten las uñas para salirse a la calle. No adelantemos la pubertad de las niñas, para todo hay momento y lugar.

A continuación brindaré algunas diferencias entre hombres y mujeres que resalta el Dr. James Dobson:

CARACTERÍSTICAS DE HIJOS E HIJAS

Antes de los cuatro años:
- ✓ El 44 % de los niños normales atacan a sus hermanos mayores o menores.
- ✓ El 50 % no comen lo suficiente.
- ✓ El 70 % se resisten en meterse a la cama.
- ✓ El 83 % dan lata.
- ✓ El 94 % reclaman atención.
- ✓ El 95 % son obstinados.
- ✓ El 100 % son muy activos y no se están quietos.
- ✓ Les cuesta trabajo amarrarse las agujetas.

VARONES
- Los hombres pueden hacer una cosa a la vez.
- Necesitas tocarlos para que te hagan caso.
- Niños que se hacen los sordos.
- Pueden subirse mejor a un árbol.
- Pueden aguantar el dolor mejor que las niñas.
- No tienen miedo a los reptiles.
- No arañan, ni pellizcan.
- Los niños no lloriquean tanto.
- Pueden ir al baño en cualquier lugar.
- Los hombres tienen en ocasiones que ocultar sus sentimientos.
- Les gustan el heroísmo y la acción.

- Son leales y tienen gran sentido de la justicia.
- Son humoristas, optimistas y francos.
- Mejor orientación espacial.
- En lugar de peinarse se despeinan.

NIÑAS

- Evitemos nombrar a nuestras hijas por princesas.
- Es bueno jugar a las princesas pero no sentirse las princesas.
- No maquillarlas para salir antes de los trece años.
- Mastican con la boca cerrada.
- Tienen mejor letra y cantan mejor.
- Pueden arreglarse el cabello mejor.
- Se tapan la boca cuando estornudan.
- No se meten el dedo en la nariz.
- Aprenden ir al baño más rápido.
- Son más bondadosas con los animales.
- Aprender primero el lenguaje.
- Aprenden primero ir al baño.
- Usan con frecuencia los dos hemisferios: el del pensamiento y el de las emociones (simultáneamente)
- No se meten el dedo en la nariz.
- Aprenden ir al baño más rápido.
- Son más bondadosas con los animales.
- Consiguen más las cosas que quieren.
- No se ensucian tanto.

- No comen tanto.
- Tienen más premios de conducta.
- Son más consentidas por los profesores.
- No se conectan tanto con la televisión.
- No juegan tanto con los juegos de video.
- Son más tranquilas.

CAPÍTULO III

Identidad de género

el futbol o el beisbol. En el aspecto social, procurar que tenga roce con niños de su propio sexo. Y en otros, debe tomarse en cuenta la conveniencia de vestirlo con colores más masculinos. Muchas madres suelen decir que colores como el rosa están de moda y sus niños se ven muy guapos, pero es mejor buscar colores como el azul marino o el verde militar, entre otros.

Respecto a la sociabilización familiar, me he dado cuenta de que muchas madres se sienten únicas y dueñas de sus hijos. Eso hace que se desarrolle en ellas un sentimiento de amor filial mucho más temprano que el equivalente amor paterno, les llevamos de ventaja todo el periodo de gestación. Pero debemos estar conscientes de que la única forma en que el padre cree un vínculo con su hijo es socializando con él, teniendo tiempo de calidad con ellos en sus primeros años.

Este mismo fenómeno hace que la madre crea que el hombre no sabe cómo criar a un hijo, que la única que sabe educar es ella. Esto, por supuesto, es un grave error, y más cuando se trata de un hijo varón que necesita aprender el rol masculino de parte del mejor maestro, que es su padre. Sin embargo, si la madre bloquea inconscientemente y no le permite el acercamiento, lo único que logrará es que el padre aborte la misión, por así decirlo, y se dedique a hacer aquello en lo que se siente seguro, que es trabajar y alejarse de casa. No porque no le interese la familia, sino porque los padres, hasta hace unas décadas, tenían esa responsabilidad marcada como convención social: proveer a los hijos y a las mujeres, mientras que ellas debían cuidar del hogar y educar a los hijos. Pero hoy en día este modelo se ha venido abajo, pues las mujeres están entrando fuertemente al terreno laboral. Ya no se pueden quedar en sus casas de tiempo completo, sino que se dividen en mil pedazos para poder estar en todo. Por todo ello, es de suma importancia que los hijos tengan un vínculo afectivo con el padre, para que cuando estén con él se sientan a gusto y conformes, sin que experimenten la imperiosa necesidad de la presencia de la madre.

Sé que para los hijos la madre es insustituible, pero mientras seamos conscientes que el papel del padre es fundamental y decisivo para el desarrollo de los niños, la mamá se debe dar cuenta que el padre puede ser el gran aliado en la vida de sus hijos o el gran enemigo, así que es mejor buscar momentos de acercamiento entre padres e hijos. Por su parte, es fundamental que día a día la madre fomente la comunicación de su esposo con sus hijos, dando espacios y tiempos para que el padre desarrolle el tan preciado vínculo.

El tiempo de calidad del padre es esencial, si tu hijo varón busca a su padre después de los tres años es totalmente normal y sano. Las madres deben tomar conciencia de ello y permitir que los hijos pasen tiempo a solas con sus papas, para que así tengan oportunidad de demostrar la importancia que tiene para ellos. Esto, sin ninguna duda, hará que el padre brinde espacios exclusivos para sus hijos y logre solidificar el vínculo emocional entre ellos.

El trastorno de identidad de género
se resuelve totalmente.

JOSEPH NICOLOSI

La identidad de género consiste en la profunda e inconsciente afinidad que se da en un individuo con un sexo, lo que lo define como hombre o mujer. En los niños es un proceso de reconocimiento gradual, por lo que en edades muy tempranas es normal que niños y niñas manifiesten rasgos contrarios a su sexo. Sin embargo, para muchos padres esto es una fuente de preocupación, lo que revela que es un tema importante que hay que enfrentar para que no se convierta en un problema. La niña agresiva o el niño delicado tal vez sólo pasan por una fase en la que su sexualidad no está aún claramente definida, pero como los padres no lo saben, atribuyen este fenómeno a un problema de comportamiento. Como cada vez más madres se me acercan en las conferencias con dudas acerca de si su hijo varón está teniendo gestos femeninos, me parece fundamental hacer algunas observaciones que los ayudarán a comprender mejor el proceso de identidad de género.

Una madre estaba muy preocupada porque su hijo de 4 años hacía pipí sentado, le gustaba maquillarse, de regalo de Navidad pidió una Dora la exploradora, es decir un regalo 100% de mujer; otra me dijo que su hijo de tres años tenía una gemela y le encantaban los juguetes de su hermana, se ponía los zapatos de la mamá y cuando jugaban se hacía pasar por mujer. El colmo fue cuando una señora invitó a niños y niñas a su casa a jugar, todos se disfrazaron de piratas, Superman, Batman o Campanita y, de repente, uno de los niños varones invitados apareció vestido de princesa. La señora de la casa se sorprendió mucho, pero por pena no le dijo nada a la madre.

Esto no debe ser motivo de alarma, pero sí es fundamental que cuando llegues a notar una falta de identidad en tu hijo o en algún sobrinito o amigo de tus hijos, hagas algo de inmediato. En muchas ocasiones estos rasgos sólo son imitaciones de patrones de comportamiento que el niño observa a su alrededor, por lo que, sin duda, en gran medida la solución está a tu alcance. Una de las razones más frecuentes para explicar esto consiste en que el niño pasa demasiado tiempo con la madre y muy poco con el padre.

Eso no lo explica todo, por supuesto. También puede ocurrir que al niño le gusten más los juegos de mujer. A los dos años no escapa de lo normal, pero si sigue así es decisivo que la mamá busque actividades de hombres. Es importante que se busquen actividades más masculinas, como

algunos indicadores del trastorno de identidad de género, que el doctor James Dobson cita, y otras que a lo largo
de mi carrera profesional he investigado:

1. Insistencia en que es mujer.
2. Preferencia por la vestimenta de las niñas.
3. Una fuerte y persistente preferencia por los pape-
    les del otro sexo en los juegos imaginarios, o recu-
    rrentes fantasías de pertenecer al otro sexo.
4. Intenso deseo de participar en juegos de las niñas.
5. Predilección por compañeras de juego.
6. Hacer pipí sentado después de haber superado el
    control de esfínteres.
7. Ponerse zapatos de tacón.
8. La postura al caminar y hablar.
9. Disfrazarse de princesa.
10. Pedir regalos de preferencia femeninos.

La aparición de la mayoría de los comportamientos de género cruzado tiene lugar durante los años preescolares, entre
los dos y cuatro años. Si observas que el niño comienza a
usar tu maquillaje o realiza gestos exagerados e imita la manera de caminar de una niña, o le encanta el cabello largo,
los aretes y los moños para la cabeza, es momento de parar
las antenas y buscar ayuda.

Si tu hijo ya tiene más de cuatro años y persiste en más
de cinco de estos puntos, primero que nada no te alarmes,
no te preocupes, mejor ocúpate y busca ayuda, no temas el

qué dirán, aunque sí debes saber que existe una correlación entre el comportamiento femenino en la niñez y la homosexualidad en la edad adulta. Sé que es un tema muy difícil de tratar con tu esposo, pero es un punto esencial para el futuro de tu hijo. Te darás cuenta que con paciencia e inteligencia podrás encaminar a tu varón por un vía más clara y menos confusa en su vida. Como afirma el psicólogo George Rekers: "La prevención es posible".

Muchos homosexuales nunca tuvieron una relación de amor y respeto con su padre. En algunos casos nunca lo conocieron, o bien los abandonó desde muy pequeños. Los estudios muestran que estos niños tienen 75 por ciento de probabilidades de convertirse en homosexuales o bisexuales. Por eso es importante el llamado para que tanto los padres como las madres lleven a cabo acciones para poder ayudar a su hijo, y es un tema que debe tomarse muy en serio, ya que con el paso de los años se puede complicar. Antes de dejarlo correr, se recomienda acudir con un especialista en identidad de género o un psicólogo para niños.

En el caso de las mujeres existe el caso de las niñas Tomboy, es decir las mujeres que son masculinas, que les gustan los juegos de hombres, se visten como varones, a continuación se especificará lo que se llama Hiperplasia Adrenal congénita que puntualiza en su libro *Mente Femenina* la doctora Louann Brizendine (2006).

Un punto que el doctor James Dobson resalta en su libro *Cómo criar varones* es que "Si un padre desea que su hijo crezca normalmente, debe romperse la conexión entre madre e hijo que es adecuada durante la infancia, pero no es buena para los intereses del niño después de los tres años." Cómo dice Robert Stoller: "La primera orden del día para ser un hombre es: No seas mujer".

LA IMPORTANCIA DE LOS DIECIOCHO MESES

Como decía al inicio, todo es parte de un proceso gradual. Alrededor de los dieciocho meses, el niño empieza a preguntarse "¿Quién voy a ser?", empieza a buscar su identidad, a establecer una diferencia entre la madre y el padre, y toma conciencia de éste como modelo de masculinidad, por eso la importancia de alentar a los padres a que afirmen la hombría de sus hijos, mas no el machismo. Aquí es cuando el papel de la madre es fundamental, ya que de nosotras depende *educar una nueva generación de varones* y no de machos. La educación de los padres hacia sus hijos puede prevenir toda una vida de infelicidad y una sensación de alejamiento.

Ralph Greenson comenta que antes de llegar a los tres años, el niño decide que le gustaría crecer para ser como su padre. Es el momento en que el padre del niño debe hacer su parte. Debe reflejar y afirmar la masculinidad de su hijo. Puede jugar juegos rudos con él, tal vez luchitas, pero con

mucho cuidado, porque pueden tener accidentes por exce-
derse demasiado. Estos juegos deben ser en definitiva diferentes a los que jugaría con una niña.

FALTA DE MASCULINIDAD

Acerca de los rasgos que definen aun niño como per teneciente
al sexo masculino, es importante que las madres no se equi-
voquen. Un niño puede ser amable, social, artístico y gentil,
y estos rasgos no lo definen como homosexual, sólo dan
cuenta de un temperamento determinado. Lo que sí es importante es el papel que el padre desempeña en el desarrollo normal de un niño como varón. Durante la infancia, los
niños y las niñas están ligados emocionalmente con la
mamá. Podríamos decir que la madre es el primer objeto
de amor.

Las niñas pueden y deben continuar creciendo en su proceso de identificación con sus madres. De hecho, como mamá
no tienes que hacer un gran esfuerzo, ya que por naturaleza te conoces y sabes cómo ser mujer. El problema es
cuando tienes un varón que debe "des-*identificarse*" de
su madre e "*identificarse*" con su padre. Ahora abordare-
mos esto.

Cantidad de padres y madres se angustian y preocupan
de cómo poder diferenciar si sus hijos pueden tener tendencias a la homosexualidad. Estas tendencias pueden apa-
recer en la edad preescolar. A continuación mencionaré

estar consciente de hacerse a un lado y dejar al padre intervenir, no porque ya no quiera a sus hijos, sino por el simple hecho de que ambos tienen la responsabilidad de crear hombres y delegar lo que le corresponde a cada uno en este proceso.

Los hijos varones, al relacionarse con sus padres, comienzan a entender lo que los entusiasma, los divierte y les da energía. Así aprenden a aceptar su propia masculinidad. Un varón necesita ver a su padre como alguien decidido y seguro de sí mismo. Es fundamental que las madres retrocedan un poco y dejen a sus varones dirigirse al mundo de los hombres sin sofocarlos, ya que es la única manera de que aprendan el andar varonil. Cómo afirma Robert Stoller: "El padre es un amortiguador saludable entre madre e hijo".

El cuidado femenino es muy importante, pero en la creación y edificación de un hombre se requiere sobre todo el toque masculino para construir una sólida y fuerte identidad de género que resista las influencias externas y se despliegue en la infancia para luego proyectarse a lo largo de toda una vida.

Queridos Padres y Madres:

Anima a tu hijo a dar lo mejor de él.

Motívalo a competir cuando tenga que hacerlo

Aprende a aceptar cuando tenga tanto éxitos como fracasos

Ayúdalo a enfrentar sus miedos y a vencerlos.

A practicar las destrezas que tiene que dominar.

Enséñalo siempre andar con paso firme.

Juega con él, juega duro pero siempre con cuidado y amor.

Pase lo que pase no intentes hacer de él

la persona que te gustaría haber sido

y que nunca conseguiste ser.

Permítele ser él mismo y felicítate por haber sido un buen modelo. Te lo agradecerá cuando sea mayor.

Comunícate con él convirtiéndote siempre en su padre mas no en su amigo.

Hazle saber que lo acompañarás en su niñez, adolescencia y adultez.

Que siempre serás su apoyo, su mano amiga.

En ocasiones estarás presente, en otras espiritualmente,

Un hijo necesita saber que cuenta con su madre y padre,

Tanto en los momentos malos como en los buenos,

Nunca te rindas, el compromiso que adquiriste

en el momento de la concepción es para siempre y por siempre,

HIPERPLASIA ADRENAL CONGÉNITA (HAC)

Aunque el tema de este atículo es la identidad de género en los niños, no está de más señalar que también algunas niñas pueden experimentar, y de hecho lo hacen, un problema para identificarse con su sexo. En algunas ocasiones esto ocurre por procesos que no tienen nada qué ver con problemas de conducta, sino con alteraciones químicas o biológicas. Es el caso de la HAC (o hiperplasia adrenal congénita) que aparece en uno de cada diez mil niños. Hay niñas que no quieren jugar ni con muñecas ni jugar a la comidita, prefieren subirse a los árboles y jugar futbol. A los dos años y medio, si a una niña con HAC se le pregunta si es una niña o un niño, seguramente responderá que es niño y dará un golpe.

Durante el periodo del embarazo, la HAC hace que los fetos produzcan mayores cantidades de testosterona (la hormona del sexo y la agresión) en sus glándulas adrenales, a las ocho semanas después de la concepción, el momento en que sus cerebros empiezan a tomar forma según un diseño masculino o femenino. En la medida que estas niñas expuestas a la testosterona se hacen mayores, se sienten mucho más inclinadas hacia las peleas y los juegos de fantasías de súper héroes. Sin embargo, aunque este fenómeno tiene lugar a nivel orgánico, también puede corregirse mediante la adecuada guía por medio de la educación y el ejemplo de modelos sexuales correctos, pues esto hace que se modifiquen las neuronas y el cableado cerebral, que es donde se está originando el problema.

LAS MADRES HACEN NIÑOS Y LOS PADRES CREAN HOMBRES

Una de las frases que me han impactado más a lo largo de mi carrera profesional y de investigadora, es la que acuñó el doctor James Dobson: *Las madres hacen niños y los padres crean hombres*. A mí, que soy mamá de dos varones, uno de 16 y otro de 13, esta frase marcó mi vida con respecto a mis hijos, ya que hoy por hoy (aunque a mí me corresponde una gran responsabilidad en su educación), me doy cuenta que su padre es el encargado de hacerlos hombres. Observo cómo quieren aprender lo que hacen los hombres adultos, tanto bueno como malo. Al principio, como madre, no te encanta la idea que busquen más al padre que a ti, puesto que las madres somos las que hemos pasado más tiempo con ellos tanto en el día como en la noche, pero creo firmemente que quiero formar hombres de bien con valores, y la única forma de hacerlo es ayudando a más madres para que sepan cómo educar a sus varones.

La intimidad de una madre con su hijo es básica, completa y exclusiva; el lazo que los une es poderoso y puede profundizarse. Su luz es tan fuerte que eclipsa a la del brillo del padre, pero por el bien de los varones la madre debe

CAPÍTULO IV

Cariño paternal

Felicítate por tener la bendición de ser madre y padre.
Ama a tus hijos,
Haz de ellos una bella escultura,
ya que ésta será la huella que dejarás en
este mundo.

*El amor paternal es fundamental en
la vida de todo hijo y el padre debe
estar consciente de ello.*

Existen muchos libros para madres, pero pocos para los padres, por eso en este capítulo quiero hacer hincapié de la importancia del amor paternal. Uno de los objetivos de este libro es dar ideas de cómo educar una nueva generación de varones y mujeres. Creo que la parte fundamental para que los varones se guíen de una manera más positiva es teniendo el apoyo del padre.

Cuando un niño nace, necesita el amor de sus padres, es decir, necesita que éstos le den su afecto, su atención, su protección, su cariño, sus cuidados y su disposición a comunicarse con él. El amor paternal es fundamental en la vida de todo hijo y el padre debe estar consciente de ello.

Cuanto menos amor haya recibido el niño, cuanto más se le haya negado y maltratado con el pretexto de la educación, más dependerá, una vez sea adulto, de sus padres o de figuras sustitutivas, de quienes esperará todo aquello que sus progenitores no le dieron de pequeño.

Muy pocos padres se dan cuenta de que es necesario que se relacionen con sus hijos a temprana edad. El Cariño Paternal, es esencial en la vida de todo hijo. Ya que cada padre brinda a su primer hijo el 100% y la madre el otro 100%. Cuando nace el segundo hijo, por naturaleza se dará el 50% tanto de un progenitor como el 50% del otro. Los padres deben entender la importancia de la presencia con sus hijos, tal vez en décadas pasadas el hombre sólo era proveedor y la mujer asumía la educación de sus hijos, pero ahora los tiempos han cambiado, la madres están yendo a trabajar, y el tiempo que pasaban con sus hijos ha disminuido mucho. En los últimos años, la fuerza de trabajo femenina ha crecido en un 112 por ciento. En las universidades, cada día es menor el número de mujeres que estudian una carrera mientras se casan.

Una mujer educada, estará en contra de tener hijos de manera irresponsable. Por su carácter, ella tiende a construir en lugar de destruir. El sexo femenino está ocupando los espacios de la economía y la producción con éxito. Por eso, las mujeres de hoy necesitan más compañía que sustento, pero definitivamente la vida es más grata de a dos. Si tienes a un hombre de tu lado, cuentas con alguien con quien enfrentar al mundo y no cabe duda que la educación de los hijos, si es compartida, es mucho más fácil. Aunque los hombres están entrenados para competir y no para compartir. Como afirma Roland Barthes: "La presencia del otro siempre perturba y molesta. Pero si vivo aislado y sin perturbaciones, ¿para qué vivo?

Ahora las mujeres marchan hacia su realización como seres humanos, a una libertad plena que le permitirá amar sin subordinación ni culpas. Ahora los hombres tienen que ser realmente pareja. La humanidad necesita dos alas: una la de la mujer, y otra la del hombre, hasta que las dos alas no estén igualmente desarrolladas, no se podrá volar. Por eso es que hoy en día la mujer está buscando espacios que antes eran inimaginables, igualmente el hombre está adquiriendo nuevas características para lograr ser un mejor papá, de calidad.

Ahora los matrimonios jóvenes lo entienden mejor. Están haciendo una relación basada en la igualdad, no en la superioridad. Ambos se responsabilizan de la casa y de los hijos, se establece un respeto hacia la mujer y su necesario espacio de libertad. El problema que enfrentan los padres de hoy es que, en su gran mayoría, sus padres eran sólo proveedores y no les dieron los instrumentos para ser los progenitores que sus hijos necesitan. Igual que sus padres pasan demasiado tiempo en el trabajo y poco tiempo en casa.

Los padres de hoy, quieren participar más en el mundo de sus hijos. Pero, al igual que las madres, luchan por establecer un equilibrio entre trabajo y familia. No es una tarea nada fácil porque nunca vieron que su papá fuera a su escuela o pasara demasiado tiempo con sus hijos. Cuántas veces vemos a padres que prometen que no serán como su padre, pero a pesar de todo el esfuerzo, siguen luchando contra las mismas cosas que él, como salir adelante en la carrera profesional, ser un buen proveedor y buscar tiempo de calidad para estar con los hijos. Desgraciadamente, los padres están bajo mucha presión y lo peor es que cada vez es más fuerte, por eso deben de tranquilizarse y de equilibrar su vida familiar y profesional.

Los hijos ya no necesitan padres a medias y los chicos realmente añoran a sus padres por completo. Por eso la importancia de hacer conciencia del valor de educar a sus hijos, ese aprendizaje de un día, por ejemplo, enseñar al niño a andar en bici será una lección que recordará toda la vida.

Sabemos que una gran mayoría de los hombres no son cariñosos, por lo que quiero hacer conciencia, cada vez que tengo oportunidad, de que los abrazos tienen el poder de convertir un mal día en un día luminoso. Los abrazos salen del corazón y acercan a las familias. Para que los padres e hijos quieran conectar en un nivel más profundo necesitan un nuevo marco para ello.

Cada día más padres quieren participar en la crianza de los hijos. Pero hay pocas mujeres que estarán realmente felices y que dirán que se casaron con hombres que asumen los roles parentales como lo hacen ellas. Muchas mujeres se sienten traicionadas, como si sus esposos las hubieran engañado haciéndoles creer que participarían más cuando les prometieron que se portarían como padres evolucionados y disponibles, como una nueva especie de padres.

Estoy seguro que muchos hombres que están leyendo estas líneas siempre han querido tener un padre de verdad, alguien que estuviera a su lado cuando lo necesitara y quieren llegar a ser ese padre que soñaron.

Muchos hombres se están esforzando para cambiar, pero desgraciadamente no tienen una patrón de conducta al cual imitar, porque seguramente sus padres eran totalmente proveedores y no se metían a la cocina ni por equivocación. En cambio, nuestros hijos ven a sus padres, que son todos unos chefs, que ayudan en casa, bueno eso del cambio del pañal es un poco más complejo, pero también vivirán con otro tipo de mujeres que trabajan y luchan día a día como lo hace su padre.

En esta época, las mujeres tienen mucha frustración, los hombres dirán que quién las entiende, están estudiando, están trabajando, sí, es verdad, pero también están sobrecargadas de trabajo, porque quieren ser unas madres ejemplares pero también unas excelentes trabajadoras.

El padre moderno no tendrá problemas para lavar los trastes de la comida, pero no tendrá la iniciativa de lavarlos por sí solo. Aunque hayan cambiado las expectativas de los roles parentales, los padres continúan siendo padres desde la periferia. Lo que el varón no entiende es que su idea de "hacer trabajo" se basa en una suposición de que "echar una mano" significa que ha asumido su rol de padre.

Me acuerdo que una famosa locutora de unos 25 años me comentaba que su esposo sí le "echaba una mano" con su hijo, de repente hacía la comida y cuando ella le reclamaba que necesitaba ayuda, que los dos estaban

trabajando de tiempo completo, que tenían un hijo pequeño y que la absorbía mucho, que más que una "ayudadita"
necesitaba que participara más en la casa y con el hijo.

Las mujeres deben estar conscientes que los hombres
no están conectados a las mentes femeninas, por lo que si
quieres que tu pareja haga algo, díselo de una forma amable, ya que no es lo mismo lo que se diga sino la forma que
se diga. La mujer realmente espera que el hombre comparta
con ella, en términos de igualdad, los roles parentales.
Espera que se le anticipe para satisfacer las necesidades
de sus hijos, tal como ella lo hace.

Hoy por hoy podría decir que el rol paternal del hombre
todavía depende de la dirección de la mujer. Muchos padres están seguros que su papel de cuidar a sus hijos es
opcional en lugar de ser una exigencia, eso no es ser buen
padre, sino un padre a medias.

La "trampa del padre": se ven estimulados a ser padres
por el deseo de ser mejorespadres que los que ellos tuvieron, pero cuando se convierten en padres, se dan cuenta
de que no tienen idea de cómo hacerlo de modo diferente. Son padres que actúan a ciegas, y a menudo no han
tenido un modelo de rol positivo. Muchos padres se dan
cuenta de que hacen con sus hijos lo mismo que hicieron
con ellos. Seguramente quieren ser diferentes a los padres
que tuvieron, pero si ellos son su único modelo de rol, ¿cómo
quieren las mujeres que los varones hayan aprendido de
otra forma a comportarse?

Muchos padres se sienten culpables porque probablemente no han dado a sus hijos el tiempo necesario. Si se sienten cerca de ellos es porque le están dando el suficiente. Si los padres no han pensado en los sentimientos de sus hijos, seguramente están muy alejados de ellos. La base de una buena relación entre padre e hijo es la comunicación abierta, por eso el papá debe escuchar a su hijo con atención, haciendo que se sienta importante y comprendido.

En general los hombres no saben cómo expresar sus sentimientos, por eso es fundamental que juntos se animen hacerlo. Los varones van perdiendo contacto con sus sentimientos al crecer. Un hombre sensible, cariñoso, conectado con sus emociones, que piense en ella, con quien, además, hay sexo, es algo que valoran mucho las mujeres.

Los modelos parentales van pasando de generación en generación. Lo más probable esque un padre emocionalmente abierto críe a hijos emocionalmente abiertos. Los errores generacionales tienen la tendencia a persistir si no se hace un esfuerzo consistente para desmantelarlos. En muchas ocasiones el error generacional es inconsciente y se comete constantemente.

Muchos padres, ahora abuelos, buscan enmendar los errores que cometieron con sus hijos, siendo más atentos con sus nietos, ya que en ocasiones sienten que el tiempo que les dan a sus nietos es el tiempo que no dedicaron a sus hijos.

Los niños que no tienen un padre y un modelo de rol masculino adecuado no tienen un buen rendimiento escolar. Corren mayor riesgo de meterse en problemas y es más probable que tengan dificultades en el terreno relacional más tarde en sus vida.

Una madre es la luna para su hijo, que es la tierra, y en muchas ocasiones los padres suelen ser las estrellas más distantes. Todos sabemos que la luz de la madre es tan intensa que eclipsa a la del padre, por esta razón es necesario que el padre brille con su propia luz y que las estrellas sean más cercanas.

Algunos de los mejores padres son los que están dispuestos a encontrarse con sus hijos en el país de los juegos. Ponte a su altura, hazle cosquillas, arrástrate por el suelo, imita ruidos de animales, diviértete y goza todo lo que puedas.

Ser padre es la oportunidad de volver a vivir la magia de la infancia, la montaña rusa de la adolescencia y la transición progresiva hacia la condición de adulto.

Formar varones

Expresar el cariño es hacer a un hombre que siente
que necesita y es necesitado,
que abraza y es abrazado,
que apapacha y es apapachado,
que besa y es besado,
que quiere y es querido,
que acompaña y es acompañado,
que protege y es protegido,
que ama y es amado.

Gracias, madre, por hacer de mí un hombre que sabe expresar sus sentimientos y sabe amar a los que me rodean.

CAPÍTULO V

Conoce a tus varones

Los varones tienen una notable habili-
dad para ignorar todo lo que no les
interesa.

Como decíamos en el capítulo de identidad de género, para ser niña lo único que se necesita es imitar a la madre. Pero para ser niño hay convertirse en un varón; el niño necesita hacer lo contrario de la niña, distinguirse de su madre es mostrar que no es como ella.

Como afirma Castañeda (2002), el hecho de definirse, no identificándose con su madre, sino contraponiéndose a ella, marcará todas las relaciones interpersonales del futuro hombre: las que sostendrá con las mujeres, con sus congéneres y, por supuesto, consigo mismo.

Por ello, quiero que las madres hagamos conciencia de que la educación de los varones debe ser diferente. Habrá momentos que es necesario que nos hagamos a un lado sin sentirnos mal, y darle espacio al padre para que entre de lleno en la educación de los hijos.

Desde su nacimiento hasta los primeros 12 años, las madres estamos pegados a nuestros hijos debido a que todavía nos necesitan mucho, es necesario alimentarlos, llevarlos a la escuela, recogerlos, llevarlos a las clases extraescolares, pero después de esa edad es importante que el papá vaya tomando las riendas. Esto no significa que debamos delegar toda la responsabilidad en ellos, pero necesitamos estar conscientes que el padre es el que hace hombres a nuestros hijos.

Cómo dice Carol Gilligan en su estudio sobre las diferencias psicológicas entre niños y niñas en su libro *In a Different Voice*, en sus relaciones los varones tenderán a señalar la diferencia: a poner distancia, en lugar de buscar una cercanía que podría amenazar su autonomía y su identidad como hombres. Una identificación excesiva con su madre representaría una pérdida de su identidad individual.

Los hombres marcan bien sus límites, por eso su espacio significa defender su autonomía. También tienen dificultad para expresar sus emociones.

Todo el proceso de identificación y separación que deben realizar los niños de los dos sexos, y que repetirán a los largo de su vida, se llevará a cabo en los primeros tres años. Tanto niñas como niños pasan por este proceso, pero para éstos últimos es todavía más difícil, ya que el principal desafío extra es diferenciarse definitivamente de su madre.

Muchas madres todavía no entienden lo importante de la necesidad que tienen sus hijos de alejarse un poco, sé que es difícil pasar gran parte de nuestra vida dedicada a nuestros hijos y que, luego de un tiempo, ellos se alejen cuando han consolidado su personalidad masculina, pero debemos tomar este hecho como un éxito y no como un fracaso. Por eso aquella frase que frecuentemente escuchamos: "los hijos son prestados", y creo que los varones todavía más.

CONTACTO VISUAL

La mayor parte del tiempo los hombres no escuchan. Por eso una de las claves para la comunicación con los varones es el contacto visual.

Recuerdo que en una conferencia del Tecnológico de Monterrey una señora se paró y me dijo que uno de los practiconsejos más importantes que le había dado en otra conferencia es que hiciera contacto visual con su hijo varón y lo tocara, porque contaba que siempre le gritaba a su hijo mil veces que ya era de comer, y como los hombres cuando están viendo la televisión como que se enchufan, entonces nunca le hacía caso, pero cuando comenzó a hacer contacto visual y a tocarlo, su dinámica familiar cambió totalmente. La primera vez que tocó a su hijo se sorprendió del efecto que tuvo en él. Lo vio a los ojos y le dijo: "Luis Fernando, a comer". ¿Adivinan qué hizo? Pues se levantó y se fue a comer.

Si pensamos que vamos a gritar a nuestros niños, para que se vayan a bañar a las 8 de la noche, y creemos que a las 9 de la noche, mientras estamos viendo nuestro programa favorito, ellos se van a bañar, a cenar, a lavarse los dientes y luego se acercarán a nosotras para que les demos la bendición, entonces somos muy ingenuas. Es imposible, esa generación de hijos aún no ha nacido.

Los varones tienen una notable habilidad para ignorar todo lo que no les interesa. Seguramente se saben los marcadores de futbol, los horarios de los partidos, quiénes son los mejores jugadores, pero seguramente no se acuerdan de qué examen tienen el día de mañana.

Los hijos varones tienen esa misma habilidad para ignorar a sus madres, no te enfurezcas si no te hacen caso, es mejor que marques reglas durante el día. Por ejemplo, la hora de levantarse, de comer, hacer la tarea, bañarse y dormir. Si tú pones horarios y rituales dentro de tu hogar, verás que los malos ratos irán disminuyendo.

Si tu hijo no te hace caso para dejar de jugar nintendo, en lugar de regañarlo y pelearte con él, le pones una consecuencia y no una amenaza. Apaga la televisión y dile, con voz firme: "Héctor Andrés, son las ocho de la noche, es hora de bañarte." Lo más seguro es que te responda: "Ahorita", que significa al ratito. Entonces tienes que usar tu nueva palabra: "Ahora". Después del "ahora", dile que son las ocho de la noche. Procura que sea la hora en punto para que no empiece el otro programa, si está jugando algún juego electrónico, dile que tiene sólo 5 minutos más, para terminar el juego. Apaga la televisión con su control y no el tuyo, y sal del cuarto.

Espero que tu hijo tenga su televisor en algún cuarto que no sea el suyo, porque sabes que tener la tele en el cuarto aumenta de 5 a 6 horas el promedio de ver televisión a la semana. Seguramente quitarla será problemático, pero ni la televisión ni la computadora deben estar en el cuarto.

Otra frase importante es *Yo decido.* Puedes utilizar esta frase, por ejemplo, si es domingo y le pides que se meta a bañar. Tu hijo seguro te va a contestar que se bañó ayer. Si no han salido en todo el día, la verdad es que no importa que un día no se bañen. Pero es necesario que afirmes tu autoridad, por lo tanto, debes decirle: "Está bien, yo decido que hoy no te bañas". De esta forma, tú asumes y control y no él.

Recuerda que para lograr que te haga caso, debes acercarte a tu hijo y tocarlo para lograr su atención. Esto también te puede servir con tus hijas, pero en especial los hombres necesitan de ese contacto visual.

Yo soy madre de dos varones uno de 16 años y otro de 13 años, muchas mujeres me dicen que es mejor educar niñas que niños. Después de lo que he investigado, y en base de mi experiencia, creo que es más fácil educar a varones, pero sólo si los conoces, si sabes cómo educarlos y los entiendes, ya que el estrógeno hace que las mujeres sean más explosivas durante la adolescencia. Pero ese tema es para otro capítulo.

Lo que si te puedo decir es que entre más conozcas a tus varones, su desarrollo, no sólo a tus hijos, sino también a tu esposo, papá, hermanos, te darás cuenta de que es verdad que los hombres son de Marte y las mujeres son de Venus.

CAPÍTULO VI

Conoce a tu hijo
según su etapa de desarrollo

A los ocho años tienen todas las pre-
guntas. A los dieciocho tienen todas
las respuestas

La adolescencia es un despertar de la mente y el cuerpo, como un ventarrón que llega a la vida de los jóvenes. Puede comenzar entre los 10 y 12 años, depende de cada ser humano, si es mujer u hombre. En esta etapa se disparan las emociones. El niño, que ahora es un joven, trata de equilibrar su alma para estar en paz, debido al torbellino de tantos sentimientos tan confusos.

Durante estos años, el adolescente tratar de encontrar el punto de equilibrio y adaptarse para poder llegar a la madurez que necesita para poder llevar a cabo la adultez. Y no es un proceso fácil: hay hombres que tienen más de 25 años y siguen siendo como unos adolescentes porque nunca lograron madurar.

Los expertos dicen que la adolescencia es el período evolutivo comprendido entre la niñez y la edad adulta.

Alejandra Vallejo-Nágera cita el siguiente cuadro:

Preadolescencia: 9 a 10 años

Adolescencia: 11 a los 18 años

Pubertad: Cambio físico y temperamental de 11 a 12 años

Media: Aislamiento e importancia del grupo de 13 a 15 años

Tardía: Inicio del final de 15 a 18 años

Postadolescencia: 18 a 22 años

Edad Adulta: 22 años en adelante

Según Mariano González:

La adolescencia son las modificaciones psicológicas.

La pubertad son los cambios anatómicos y fisiológicos.

La juventud es la proyección social y las actitudes de la gente joven.

En su libro Children´s Friendships, Zick Rubin afirma que los niños atraviesan por cuatro etapas:

ETAPA EGOCÉNTRICA: DE LOS 3 A LOS 7 AÑOS

Para los niños en esta etapa, su mejor amigo es el que vive más cerca; es decir, su vecino, ya que son los que tienen juguetes más a la mano. En su disposición egocéntrica, suponen que sus amigos piensan igual que ellos y se ofenderán o rechazarán a un compañero de juego si esto no es así.

ETAPA DE SATISFACCIÓN DE SUS NECESIDADES: 4 A LOS 9 AÑOS

Los niños se sienten más motivados por el interés en el proceso de las relaciones que por el egocentrismo. Valoran al amigo como individuo, en lugar de hacerlo por lo que tiene o por el lugar donde vive. La amistad se convierte en una forma de satisfacer sus necesidades fuera de la familia.

ETAPA DE LA RECIPROCIDAD: 6 Y 12 AÑOS

Los niños se interesan por la reciprocidad y la equidad. Las amistades durante esta etapa tienden a darse en pares. Los grupos son en realidad una red de pares del mismo sexo. Entre los 6 y 12 años, es fundamental que los padres informen a sus hijos de las habilidades con que cuentan, ya que si a temprana edad empiezan a desarrollar sus capacidades, es más fácil sobrellevar la adolescencia.

Por eso es fundamental comenzar a tomar sus decisiones, enseñarle a decidir. Fomentar valores como la responsabilidad, el respeto, la tenacidad, que serán los cimientos para poder sobrellevar el difícil camino que comenzarán.

Si los padres fomentan la generosidad en sus hijos, ésta será la base de la verdadera alegría.

ETAPA DE LA INTIMIDAD: 9 A 12 AÑOS

Los niños ya están preparados para entablar verdaderas amistades íntimas. Shapiro, en su libro *La inteligencia emocional de los niños*, confirma que esta etapa es la base para toda relación cercana y los pequeños que son incapaces de formar amistades estrechas en la preadolescencia y a principios de la adolescencia podrían no conocer nunca la verdadera intimidad cuando sean adolescentes o adultos. El hecho de compartir en forma apasionada las emociones, los problemas y conflictos en esta etapa, forma un vínculo emocional profundo que los niños recuerdan como una de las relaciones más significativas de la vida. En algunos casos, estas amistades realmente duran toda la vida.

PREADOLESCENCIA: 9 A 10 AÑOS

Aprovecha los 9 años de tu hijo, ya que es *la edad dorada de la infancia*. En esta etapa es como una pequeña esponja que quiere aprender todo lo que sus padres quieren enseñarle, ya puede comenzar a ser independiente

Le encantan los juegos en equipo, así que si todavía no está en algún deporte es momento de integrarlo al futbol, beisbol, basquetbal, futbol americano. Los padres deben tomar en cuenta que la ociosidad es el peor de los vicios, por eso la importancia de fomentar el deporte, ya que cuando llegue a la adolescencia él querrá practicarlo y dejará a un lado los vicios, porque su prioridad será el entrenamiento.

Cumplir los 10 años para el niño, ahora casi joven, significa más que un año de transición, haber alcanzado una etapa. Siente haber llegado a la cima de una montaña en donde el pequeño niño quedó atrás. Es muy importante trepar árboles o dominar deportes acuáticos.

En la mayoría de las niñas, normalmente aparece la menstruación después de los 10 años, aunque hay casos específicos que puede llegar antes, por otro lado la forma del cuerpo comienza a cambiar poco a poco.

En el transcurso de esta época también se produce un cambio mental. Sus últimos cinco años han aprendido las reglas sobre cómo hacer las cosas y las han llevado a cabo. Ahora el niño de 10 años ya reflexiona y busca otras alternativas para solucionar el problema. Ya terminó definitivamente el egocentrismo característico de la etapa anterior, es decir, ya es capaz de entender que existen otros puntos de vista diferentes al suyo y esto ayudará enormemente al control de sus emociones, pues desea agradar a los demás.

Los valores que le han sido transmitidos a lo largo de su infancia se van asentando, su máximo será la justicia y la amistad. En la escuela será más participativo, aunque todavía no es muy atento, pero su memoria está mejor que nunca.

En la preadolescencia, es necesario que los padres de familia establezcan límites. Tienen que enseñarle a controlar sus impulsos. Este aprendizaje de la autocontención y la inteligencia emocional generalmente es necesario para vivir los años de la adolescencia.

El cuerpo del niño antes de llegar a la pubertad sufre una serie de transformaciones o cambios somáticos para desarrollar su capacidad reproductiva.

PUBERTAD: CAMBIO FÍSICO Y TEMPERAMENTAL, DE 11 A 12 AÑOS

En la pubertad ocurre un cambio físico notable, es curioso porque no todo el cuerpo crece al mismo tiempo, a veces ocurre que haya niños con las piernas larguísimas y el tronco muy corto. Ésta es la famosa etapa de los *pubertos*, las mamás suelen decir que están en la edad de la punzada, o que son pubertos, porque apenas hacia unos meses eran un encanto y ahora empiezan a parar la trompa. A esta edad, un niño puede estar perfecto en un rato y al momento siguiente puede manifestar una gran inestabilidad emocional.

Los padres de familia tienen que tener mucha paciencia, pero mucha paciencia, respirar profundo tres veces, si es necesario salir del cuarto en donde esté el hijo, entrar al baño y empezar a aplaudir, para lograr permanecer en el aquí y el ahora, tratar de no explotar al menor rezongo del hijo. Seguramente sus hijos van a estar insoportables y ni siquiera van a saber por qué. Aquí se pueden escoger dos caminos, pelearse o entender la etapa por la que están pasando los bien llamados pubertos.

Es fundamental que los padres les expliquen a sus hijos que de ahora en adelante van a tener cambios tanto físicos y emocionales, porque de lo contrario sufrirán mucha angustia por no saber lo que está pasando. La comunicación entre padres e hijos es básica en estos momentos, ya que los progenitores irán acompañando a sus preadolescentes en esta transformación tan desconocida para ellos y tan conocida para nosotros, si es que somos padres ocupados y no preocupados por conocer el desarrollo de los hijos.

En estos momentos es cuando tanto madres como padres tienen que armarse de mucha pero mucha paciencia, ya que sus hijos necesitan de mucho amor y entendimiento, brindando una conducta tranquila, firme, ecuánime, ya que nosotros somos los grandes maestros que enseñaremos a nuestros hijos a controlarse, pero si nosotros somos los primeros que explotamos y nos enojamos por cualquier cosa, lo único que estamos reflejando en ellos es agresión y sólo agresión, entonces que copiarán la agresión.

El comportamiento durante la pubertad, ayudará para que el chico vaya descubriendo su identidad, para que sepa lo que puede esperar de la vida adulta. Su interés principales es agradar, sentirse aceptado en un grupo y busca tener un lugar a donde pueda recurrir fuera de su casa.

ADOLESCENCIA MEDIA:
AISLAMIENTO, DE 13 A 15 AÑOS

En la adolescencia media seproduce la ruptura defi nitiva con la infancia y comienza la búsqueda nueva de formas de comportamiento. Del despertar del yo se pasa al descubrimiento consciente del yo.

En la adolescencia media, después del descubrimiento del yo tiene lugar el descubrimiento del otro. La timidez es otro rasgo propio de esta fase y tiene su origen en la desconfianza en sí mismo y en los demás.

Si la pubertad era fundamentalmente una crisis de tipo biológico que repercutía en el desarrollo mental ocasionando inquietud, la adolescencia media es una crisis interna o de la personalidad.

Es la edad de la impertinencia o fase de negativa, porque durante ella el chico parece negar todo. Estas actitudes son originadas por la frustración de no poderse valer por sí mismo. Entre los trece y quince años, el cuerpo del joven se desarrolla con rapidez, aunque su desarrollo mental no sigue el mismo ritmo. Partes del cerebro, el cuerpo calloso y el córtex prefrontal no se desarrollan plenamente hasta la edad del adulto joven. Esto es especialmente importante cuando se sabe que esas partes del cerebro son los centros del control emocional, de freno a las conductas impulsivas y del buen juicio.

El cerebro del joven todavía no ha madurado lo suficiente, por eso es fundamental que los padres de familia tomen en cuenta que los límites en la conducta de los adolescentes deben ser claros y necesarios en esta etapa de desarrollo, ya que no pueden prever las consecuencias que seguirán a sus impulsos. Las reglas que los padres les fijan a sus hijos ayudarán a protegerlos.

Esta es una etapa de aislamiento, ya que a los 13 años el chico entra en una fase de introspección e interacción con personas de su misma edad, se empieza a aislar de los adultos, que hasta este momento influían en su vida.

Los chicos adolescentes se preocupan de su cuerpo y de los cambios asociados en la pubertad, el estímulo sexual aparece con mucha fuerza. Empiezan a preocuparse porque les salen granitos en la cara. Seguramente tu hijo te pedirá algún producto que le ayude. Hazle caso, porque probablemente tú no lo notas, pero él sí.

En el caso de la ropa, seguro gastaste una fortuna en camisas y pantalones de buena calidad para las ocasiones especiales y siempre que hay un evento importante existe una batalla campal para que se los ponga. En este caso, los padres deben aprender a *negociar*, esta palabra es la clave para evitarte muchos problemas, ahora ya no le puedes imponer a tu hija que se ponga el vestido de florecitas que se ve tan linda, tal vez hacía unos años o se lo ponía o se lo ponía, ahora prefiere no ir, antes la podías amenazar con que se quedaría en casa, ahora es lo que busca no ir y menos con ese vestido ridículo. Puede que todavía logres que se lo ponga, pero te arriesgas que toda la primera comunión esté con una carota, enojada, con los brazos cruzados, tanto que te incomode, y lo peor es que tú eres la madrina, a fuerza tienes que ir a la misa y llegar temprano.

La base es la negociación, yo estoy de acuerdo que no deben ir con unas fachas tremendas y menos con esos jeans todos rotos que parece que no tuvimos dinero para comprarles unos decentes. Dale cinco opciones, sabiendo que una de ellas seguro le va a gustar. Sé flexible, acuérdate que tú decides (otra frase que no debes de olvidar), es fundamental que los hijos sepan que hay momentos para ponerse lo que ellos quieran y hay otros, como bodas, quinces años, fiestas de familia, en donde es importante que vayan bien arreglados y no fachosos.

En esta etapa no inviertas demasiado en ropa, porque te va a dar mucha tristeza observar cómo esa camisa tan cara que le compraste nunca se la puso y está nuevecita. Ahora ellos empiezan a escoger su ropa. Sin embargo, ten cuidado, porque ahora los adolescentes se quieren comprar todo de color negro, con calaveras además, porque están de super moda.

En el caso de los hombres, puede ocurrir la primera eyaculación. La relación con alguien de su mismo sexo permite reforzar la identidad sexual. El vínculo es meramente afectivo y no genital; sólo si no evoluciona puede desencadenar un estancamiento homosexual posterior.

Es muy normal que tu hijo quiera pasarse todo el fin de semana con su querido amigo, es difícil entenderlo porque hacía pocos meses estaba encantado en su casa, ahora parece que ya no tanto y quiere quedarse a dormir en la casa de su mejor amigo

Los padres deben enseñar a elegir a los amigos, pero también es esencial que él aprenda a ser buen amigo. De esta forma los padres estarán más tranquilos porque sabrán que sus hijos están rodeados de buenas personas.

Gran parte de este impulso responde a la intención del hijo de comenzar a separarse de su padre y definirse a sí mismo como una persona independiente. Por difícil que esto sea, a veces, es parte de una saludable transición hacia la adolescencia media, entre los catorce y los dieciséis años.

ADOLESCENCIA TARDÍA: INICIO DEL FINAL, DE 15 A 18 AÑOS

Esta edad se puede considerar como crítica. El joven se aleja del grupo y comienza a definirse como una personalidad única e individual. En esta etapa no pueden controlar un amor frustrado. En este período es común que tenga tres o más noviazgos con una pareja de la misma edad.

El problema puede llegar cuando un noviazgo es de tiempo prolongado. El adolescente, ya sea mujer u hombre, se aleja de los amigos del sexo contrario, se aísla, lo que impide adquirir la necesaria madurez en la relación con un grupo y también precipita el final de la relación.

Tener un "mejor amigo" es una tarea de desarrollo importante que puede influir en las relaciones de tu hijo como adolescente y adulto. Aunque los padres no pueden imponer un amigo, sí pueden mostrarle hasta qué punto los amigos desempeñan un papel importante en su vida.

En esta etapa suele recobrarse el equilibrio que se perdió en las dos fases anteriores. Es un período de calma en el que se recoge el fruto de lo que se ha sembrado antes. El adolescente comienza a comprender y encontrarse a sí mismo y se siente ya integrado en el mundo en que vive.

El adolescente de 16 a 18 años comienza ya a comprenderse a sí mismo, está en mejores condiciones de adoptar decisiones personales. En este momento puede surgir una conciencia de responsabilidad en relación al futuro. Esta fase se caracteriza claramente por la importancia dada a los valores morales y espirituales y por la elaboración consciente de una cierta concepción de la vida. El adolescente ha pasado del negativismo a la afirmación positiva de sí mismo. Destaca en él ahora el afán de comprender y ser comprendido.

Es la época de tomar decisiones y del sentido de la responsabilidad ante el futuro que enfrenta, es momento de hacer un proyecto de vida.

POSTADOLESCENCIA: 18 A 22 AÑOS

"A los ocho años, tienen todas las preguntas. A los dieciocho tienen todas las respuestas".

Es una etapa en donde al chico se le dan algunos privilegios como votar, manejar, llegar más tarde a casa, aunque todavía depende económicamente de sus padres y faltan algunos años para terminar la carrera profesional.

A esta edad el joven posee ya la inteligencia del adulto. Ha progresado en la coherencia lógica de pensamiento y está en mejores condiciones que antes para expresar sus opiniones con objetividad y realismo.

Por encima de todo, es la etapa en la que adviertes, como padre, el resultado de la educación y los valores que le infundiste durante la crianza. Si tuviste éxito en esta tarea, tu hijo te dará grandes satisfacciones y te sentirás orgulloso de él. Has hecho una buena labor y es el momento en que él prepara sus alas. No importa, porque tú estás preparado para que las use y ahora te toca usar las tuyas.

Quiero volar

Yo quiero volar,
déjenme ya volar,
llevo mucho años queriendo hacerlo
pero no he podido
por atenderlos,
cuidarlos, mimarlos.
Nunca dejaré de amarlos,
siempre estaré pendiente,
pero en verdad yo ya
quiero volar.
Quiero emprender mi camino,
quiero hacer mi misión en la vida.
Yo quiero volar,
pero ahora sola.
He dejado parte de mi vida con ustedes,
ahora necesito y quiero volar.
Déjenme ya volar.
Para que ustedes aprendan a volar
yo debo hacerlo primero.

CAPÍTULO VII

Madres de varones y mujeres

Casi todas las mujeres sueñan con tener hijas.

Yo soy una afortunada madre de dos varones, Fernando y Rodrigo. Hoy lo digo así, pero desde que me casé, hace 18 años, yo soñaba con tener una hija. De hecho, me acuerdo que en mi luna de miel compré un gorrito para niña, pero nunca lo utilicé porque tuve dos hombres.

Casi toda mujer sueña con tener hijas. Una investigación reveló que las mujeres que van a dar en adopción a su bebé, si se enteran de que fue una niña, un gran porcentaje de madre se quedan con ellas. Creo que esto se debe a que piensan que sus hijas van a lograr lo que ellas nunca pudieron hacer. Sin embargo, en China la situación es muy diferente: como pueden tener pocos hijos, prefieren quedarse con los varones.

En la actualidad me preguntan si me quedé con las ganas de tener una niña, y afortunadamente puedo decir que no. Me siento muy afortunada de tener dos varones, de hecho hasta el momento soy la reina de la casa, y la mujer más importante de tres hombres.

Claro que cuando llegan a la adolescencia y escuchas que tu hijo dice: "¿Qué pasó, preciosa?", piensas que ese lindo calificativo es para ti, y resulta que tu hijo de 15 años está hablando con su novia. No es de sorprender que cuando cuelgue y le digas que la única preciosa eres tú, él te responda: "Madre, ¿te acuerdas que me dijiste que cuando fuera adolescente tu pasarías a segundo término? Pues fíjate que ya llego el momento." Sí, se siente horrible, pero la realidad es ésa.

Cuando me preguntan qué es más fácil, si tener hombres o mujeres, yo siempre respondo que es más fácil educar a los hombre. De hecho, este libroiba a estar dedicado exclusivamente al tema de como educar varones, pero muchas mamás pusieron el grito en el cielo y por eso decidí ampliar mi espectro. Sin embargo, sí es verdad que es más fácil guiar a los niños si conoces sus características, desarrollo de pensamiento y de emociones.

Por naturaleza es más fácil educar a mujeres, porque tienes más empatía si tu niña se pone histérica cinco días antes de su período por causa del elevado nivel de estrógeno, pero aquí ocurre algo más complicado. La naturaleza es tan sabia que cuando hay varias mujeres en casa, normalmente todas tienen al mismo tiempo su periodo.

Una señora me comentaba que tenía cuatro hijas, y su esposo estaba histérico porque no las entendía. Aquí la clave de la educación es conocer las diferencias entre las mujeres y los varones.

Pero volvamos al tema. El estrógeno es algo que debemos tomar en cuenta. Las mujeres debemos tener un calendario y tener muy presente los cinco días antes de la regla, de esta manera estarás más consciente, le bajarás a la cantidad de sal, tomarás más agua, si es necesario y estás muy explosiva, irás al ginecólogo para que te revise tu nivel de estrógeno, ya que tu histeria ya pasó de lo normal a lo exagerado. Si te pones a pensar, es mejor que cinco días sean un poco de caos en tu casa que todo el mes.

Cómo dice la Dr. Louann Brizendine: las mujeres somos productivas 25 días al mes pero los otros 5 somos un caos.

Otro fenómeno que está ocurriendo en la actualidad es que las mujeres están teniendo niñas después de los treinta años. Cuando esa niña esté en la adolescencia la madre estará en plena menopausia y climaterio. A estas señoras les recomiendo el libro ¿Por qué si soy tan buena me siento tan mal? Mujeres esplendorosas en la edad dorada.

Yo todavía no llego a la menopausia, como digo en mi libro Mujer escucha tu interior, tengo cuarenta y no soy cuarentona. Tengo 42 años y en verdad el mejor momento de mi vida es el que estoy pasando. Mis hijos ya están más grandes, maduros, los principales cimientos de la educación ya se los di, ahora mi misión es estarlos guiando, fortalecer su raíces para que poco a poco extiendan su vuelo. Esta edad me ha dado m uchas satisfacciones, felicidad, alegría y deseo de ayudar a más mujeres a salir adelante.

El propósito de este capítulo es invitar a las mamás para que conozcan más de cerca tanto a sus hijos como a sus hijas, de esta manera lograrán una conexión y la disciplina dentro del hogar va a ser mucho más fácil y llevadera.

Ya no es posible estar a gritos y sombrerazos, el nivel de estrés que estamos viviendo tratando de equilibrar la vida familiar y profesional es muy pesado. Necesitamos lograr una armonía en el hogar.

Toda la vida ha habido madres gritonas, pero hoy en día las mujeres que estamos haciendo doble jornada de casa y trabajo, llega un momento que explotamos del cansancio y el agotamiento. Hay que tomar en cuenta que no debemos ser la super mujer ni la super mamá. No, qué flojera ser una madre perfecta, eres un ser humano valioso que necesitas descansar, apapacharte y tomar en cuenta que primero debes de ser mujer, después mamá, cocinera, chofer, enfermera y demás actividades que tenemos que hacer.

La vida no me dio la oportunidad de tener una mujer y creo que por algo, tal vez mi misión en la vida es educar una nueva generación de varones, más conscientes de la vida familiar, del hogar, dándoles herramientas para que sean mejores seres humanos, que sigan siendo caballerosos y no patanes. Enseñándoles que el cocinar no es nada más para las mujeres, sino que la comida es uno de los placeres de la vida y si se hace con amor, alimentarás el alma y el corazón de los que te rodean.

CAPÍTULO VIII

Mente masculina, mente femenina

Cada vez que usted críe a un hombre amoroso, sabio y responsable, habrá creado un mundo mejor para las mujeres.

DR. MICHAEL GURIAN

A lo largo de mi vida hay varios libros que me han impactado, y uno de ellos es el de *Cerebro femenino*, de la doctora Louann Brizendine. En este capítulo destacaré algunos conceptos que me llamaron mucho la atención y que creo que es muy importante que los tomes en cuenta. También te va ayudar mucho a entender por qué los hombres son de Marte y las mujeres de Venus.

A través de este libro estás aprendiendo a conocer las diferencias entre el cerebro masculino y el femenino. Una de ellas es que el cerebro de los varones es más grande que el de las mujeres en alrededor de 9 %. ¡Sorprendente! En el siglo XIX los científicos interpretaron que esa pequeña diferencia demostraba que las mujeres teníamos menos capacidad mental que los hombres. Pero no te preocupes, porque tanto mujeres como hombres tenemos el mismo número de células cerebrales, así que no es verdad que los hombres que son más inteligentes que las mujeres.

Otro punto interesante a destacar es que existe el doble de casos de depresión entre las mujeres que entre los varones. Puede ser porque muchos hombres mantenían reprimidas a las mujeres y las habrían convertido en menos funcionales que los hombres, pero hoy en día estamos observando nuevas generaciones de mujeres que están saliendo adelante, por eso hay que prepararse. Claro que hoy en día las jovencitas se están dirigiendo al lado opuesto, ya que ni les interesa tener hijos ni casarse, creo que todo extremo es malo. Formar una familia para muchas mujeres debe ser un punto importante de equilibrio entre su vida profesional y su vida familiar.

Por eso es necesario hacer conciencia en las madres que tienen hijas, saber encaminarlas y no enseñarles a odiar a los hombres. Si a ti te fue fatal con tu esposo, tu hija no tiene por qué repetir este patrón. Creo que un cambio de paradigma muy beneficioso para las mujeres es el poder económico, que gracias a Dios, cada día, está más al alcance de las jóvenes generaciones femeninas.

El cerebro azul y el rosa tienen diferentes sensibilidades cerebrales ante el estrés y el conflicto. Usan diferentes áreas y circuitos cerebrales para resolver los problemas, procesar el lenguaje, experimentar y almacenar la misma emoción. Por un lado las mujeres pueden recordar los detalles más pequeños del noviazgo mientras los esposos apenas se acuerdan.

Cómo afirma Marina Castañeda en su libro *Machismo invisible*: En esencia los dos géneros no sólo son distintos, si no se comunican de manera distinta, sino que piensan, sienten, perciben, reaccionan, responden, aman, necesitan y aprecian todo de manera diferente.

Los cerebros masculinos tienen circuitos neurológicos diferentes para el amor. Las mujeres muestran mayor actividad en muchas más áreas, los hombres enamorados muestran más actividad en áreas de procedimiento visual de otro nivel. Estas conexiones visuales superiores pueden explicar también por qué los hombres tienden a enamorarse "a primera vista" más fácilmente que las mujeres.

En el caso del enamoramiento, las mujeres llegan a estar a la misma altura del romanticismos que los varones, sólo que se tardan más tiempo en expresarlo y son más precavidas que los hombres en las primeras semanas de relación.

Según la doctora Brizendine, el cerebro masculino emplea la vasopresina para la vinculación social y parental, mientras el femenino usa primordialmente la oxitocina y el estrógeno. Las mujeres pueden vincularse con una pareja romántica en cuanto experimenten el flujo de dopamina y oxitocina suscitado por el tocamiento, la entrega y recepción de placer sexual. Dichos estudios muestran que el acoplamiento sexual libera grandes cantidades de oxitocina en el cerebro de la hembra y de vasopresina en el macho. Estas dos neurohormonas, a su vez, aumentan los niveles de dopamina — el ingrediente del placer—. Tanto en los

machos como en las hembras, la oxitocina causa relajación, atrevimiento y contento mutuo. Las parejas pueden no
darse cuenta de cuánto dependen de la presencia física
de ambos hasta que estén separados por un tiempo; la oxitocina de sus cerebros les hace volver siempre uno al otro
para el placer, la comodidad y la serenidad.

Es muy común escuchar entre mujeres que los hombres
se vuelven sordos. Mientras están viendo la televisión, ¡el
hombre se vuelve sordo! Existe una razón fisiológica:
el cuerpo calloso de su cerebro, zona que permite la comunicación entre ambos hemisferios, es más delgada que
el de la mujer. Asimismo, al tener un cerebro fisiológica-
mente fraccionado, no puede cumplir con más de una
tarea a la vez. A pesar de estar muy atento, el hombre
utiliza sobre todo su oído derecho. Éste está directamente
conectado con su "cerebro izquierdo", responsable de reco-
nocer las palabras. Desde luego, escucha con ambos oídos,
pero las conexiones son menos fuertes.

Robert Josephs ha concluido que la autoestima de los
hombres deriva principalmente de su capacidad para man-
tenerse independientes de los demás. En cambio la autoestima de las mujeres se basa en su capacidad para
conservar relaciones afectuosas con el prójimo.

El varón tienen una característica en particular: puede
hacer una cosa a la vez, pero la hace muy bien; las mujeres
podemos hacer varias cosas, no muy bien, pero las hacemos. Los hombres cuando están en la computadora, arreglando algo eléctrico, viendo la televisión, tienen la habilidad

de quitar todo el sonido que hay en el exterior y concentrarse sólo en una cosa. Esto es muy curioso, cuando estoy escribiendo mis libros, yo normalmente lo hago en mi laptop. Cuando mi esposo me acompaña, observo que él no me platica porque sabe que estoy escribiendo. Yo le digo que me platique y él me responde que estoy trabajando, así que tengo que explicarle que puedo hacer dos cosas a la vez: hablar y escribir.

En cambio, los hombres sólo pueden escribir en la computadora. Haz un pequeño experimento: un día que tengas tiempo, si estás en tu coche y observas a un señor hablando por su celular, pregúntale por alguna calle, te darás cuenta que ni te hace caso porque no puede hacer dos cosas a la vez. También inténtalo con tu esposo (te fijaste que dije esposo y no marido, ya que marido es el que manda, por eso mejor esposo). En cambio, una mujer, cuando habla por teléfono puede cocinar y hasta regañar a sus hijos a la vez.

Por todo esto es que casi no existen "recepcionistos", ya que una mujer tiene la capacidad de contestar el teléfono, darte numerito para tu turno, registrarte, trabajar en sus asuntos y pensar en la cena qué preparará en la noche. Un hombre, por el contrario, habla o habla.

Claro que hoy en día vemos que los adolescentes están desarrollando la capacidad de escribir en la computadora, chatear al mismo tiempo y, si llega la mamá, cerrar la página que tienen prohibida y hacer cara de que no pasa nada.

En un artículo de la revista *Psychologies* que por cierto es una revista que recomiendo, manejan unas diferencias que llaman la atención: La mujer posee una visión periférica superior. Sin tener que girar la cabeza puede levantar un inventario de, por ejemplo, todo lo que hay dentro de un clóset. Sin embargo, tiene que recurrir a numerosos detalles para ubicarse. El hombre, en cambio, está obligado a girar hacia todos lados para registrar qué es lo que lo rodea.

Estas diferencias se traducen según cómo se clasifiquen las cosas. En un armario, a una mujer le preocupará el lugar de cada objeto y, por ello, quizá ordene la ropa en categorías separadas. Por ejemplo, un cajón para los suéteres, otro para las blusas y uno para las medias. Con una apreciación más global, el hombre clasifica por conjuntos no separados: el atuendo para correr en una esquina y, en otro lado, el traje para la oficina.

Es un hecho: las mujeres son malas para navegar. Si tiene que leer un mapa de alguna carretera, le darán vuelta en todos los sentidos antes de confesar que no saben dónde están ubicadas... Al contar con un mayor grado de especialización en los hemisferios cerebrales, el hombre sabe orientarse en el espacio. Los varones también se sienten más cómodos con los juegos virtuales y pueden pertenecer pegados a una consola durante horas. La mujer, por su parte, desarrolla mejor el sentido del detalle.

En todas las culturas, los varones han utilizado el poder de género en beneficio propio: por siglos asignaron a las mujeres una posición pasiva y sumisa, que va en contra de los ideales de la educación mixta. Además, también juegan un papel muy importante en esto las vivencias personales de los padres. Una madre a quien su familia siempre impuso el papel de "hija modelo" proyecta en la niña la parte masculina y dominante que a ella le fue prohibida.

Por otro lado la hormona del varón es la testosterona, que es la responsable en gran parte de la masculinidad, aunque también las mujeres tienen pequeñas cantidades de ella. Un dato interesante a resaltar consiste en que las mujeres que trabajan fuera de la casa tienen niveles más altos de testosterona que las que se quedan en su hogar; lo mismo pasa con las hijas de mujeres trabajadoras, a diferencia de las que se quedan en casa.

Según James Dobson, en la actualidad existen muchas investigaciones acerca de la química del cerebro, por lo que se puede afirmar que existe una relación entre las hormonas y el comportamiento del ser humano. La testosterona motiva el interés de las carreras de autos, el futbol, la pesca, las armas, el boxeo, el karate, el baloncesto, la lucha libre (ahora entiendo por qué le gustan a mi hijo y a mí me chocan). Las mujeres también pueden estar interesadas, pero muy pocas obsesionadas.

Las mujeres son principalmente las que cuidan y están involucradas en la crianza de los hijos. Sus actividades están concentradas en el mantenimiento y el cuidado del hogar y de la familia.

Pero es impresionante cómo cada vez más hombres están entrando al mundo de la educación de los hijos, ya sea por necesidad o gusto, pero esto es realmente increíble porque el equilibrio en la familia, si se sabe manejar, va a ser algo muy positivo. Cuando las mujeres trabajan se sienten más productivas y útiles. Y a causa de esta situación, los padres pasan más tiempo con sus hijos, pues las madres están ocupadas en otras actividades. Un ejemplo de ello es lo que me platicó un papá con un hijo varón. El señor trabaja en su oficina por las mañanas, pero por las tardes se queda en casa con su hijo porque su mujer tiene un puesto muy alto, con horarios muy complicados, así que para que el bebé no se quede todo el día en la guardería, él lo cuida por las tardes. He visto ejemplos de esto a lo largo de mi carrera, y es algo que me encanta. Por eso te invito a que compartas con tu esposo este libro, en especial el capítulo en el que abordo el tema del Cariño Paternal.

En el programa *Dulces Momentos*, de Discovery Home and Health, supe que en una de las familias de Colombia la presencia del papá entre semana era totalmente nula. En consecuencia, la madre estaba totalmente agotada, la mamitis del niño de un año había hecho que la madre estuviera deprimida y adolorida de todo el cuerpo, los brazos se le dormían por tanto cargar a su hijo porque lo único que quería el bebé era que mamá lo cargaba, y con tal de que no llorara, la madre lo tenía en brazos.

Cuando me enteré del problema, hablé con el padre por la noche, y debo confesarles que le hablé muy firme y traté de llegar a lo más profundo de su corazón para que hiciera conciencia de la importancia de su presencia con sus hijos. Tuve que hacerlo así porque sólo tenía 10 días para cambiar la vida de esta familia. Pocos días después, él me dijo que se había sorprendido de todo lo que yo le había hecho ver. Nunca se puso a pensar que su esposa estuviera tan exhausta, le parecía normal llegar a casa y verla dormida a las ocho de la noche. Se limitaba a dar un beso a los hijos, igualmente ya dormidos en sus camas. Lo que hice fue sembrar la semilla de la conciencia y reaccionar de tal manera que ahora él veía la vida desde otra óptica. A partir de ese día intentó llegar más temprano para cenar con sus hijos, convivir con ellos, salir a jugar y darles más calidad de tiempo a ellos y a su mujer.

Por milagroso que se vea este caso, les puedo confesar que todo lo que muestra la televisión es totalmente cierto. Simplemente, si logramos hacer conciencia a los padres de la importancia de la presencia, se lograran cambios muy positivos en la familia.

Esta frase de Marina Castañeda quiero dejarla como final de este capítulo para que los padres reflexionemos. "El reto no es sólo definir lo que queremos decir, sino reflexionar también en qué tipo de masculinidad y feminidad queremos cultivar, en nosotros mismos y en las generaciones futuras. ¿Qué modelos de masculinidad y de feminidad desearíamos que siguieran nuestros hijos? ¿Cómo nos gustaría que se relacionaran entre ellos, en lo que al amor, la amistad y el trabajo respectan?

Amar para educar

Aprende a comunicarte con tus hijos,
Comunícate con amor y paciencia.
Escucha con tu mirada atenta,
pon tu corazón, mente y alma
en los pequeños actos cotidianos,
para no dejar heridas abiertas,
cuida a tus hijos tanto como cuidas a tus amigos,
habla como te gustaría que te hablaran,
ama como quisieras que te amaran,
abraza como si fuera el último abrazo,
enseña como si fueras el único maestro.
Exige pero no atormentes.
Habla, mas no regañes.
Pon consecuencias, mas no castigos.
Pide, mas no grites.
Acepta, mas no cambies su esencia.

Recuerda que los hijos son prestados y los varones más, alégrate de la bella escultura que has hecho, limpia tus ojos de tanto llorar y aprende a ver a tus hijos desde otra óptica, ya son jóvenes y necesitan que te hagas a un lado, duele y duele mucho, sé que has invertido muchos años de tu vida, pero ésa es la misión de las madres. Prepara a tus hijos, pues ellos necesitan crecer como individuos independientes, necesitan de tu aprobación para andar en su nuevo camino, no te rindas, porque ésas son las bases para lograr formar un ser humano único e independiente.

CAPÍTULO IX

Los hijos huérfanos

¿No cren que ya estuvo bien de tra-
tar de complacer a nuestros hijos en
todo?

Todos sabemos lo que significa la frase "hijos huérfanos".
En nuestra época está ocurriendo un fenómeno dentro del
seno familiar sobre el que desearía llamar la atención.
Consiste en que muchos jóvenes, aunque tienen a sus padres y viven con ellos, actúan como si fueran hijos huérfanos,
pues no experimentan la influencia de sus padres en sus
vidas o la desdeñan totalmente. Son huérfanos con padres,
jóvenes que no tienen una guía sólida y segura.

Yo entiendo que no queremos seguir los patrones de
conducta de nuestros padres, que eran totalmente autori-
tarios y con sólo mirarnos nos controlaban. Pero ahora nos
hemos ido al otro extremo. Haz una prueba: voltea a ver a tus
hijos, trata de decirles algo y seguro te van a contestar: ¿Por
qué me haces bizcos?

Hace unas dos o tres décadas la función de los padres era
de educarnos más no complacernos, los esfuerzos de los

padres se dirigían a que los respetáramos y los obedecié-
ramos sin objeción, que tuviéramos buenas calificaciones;
si no, nos imponían un buen castigo que había que asumir,
nos gustara o no.

Si tu papá se enojaba, tenías que hacer méritos porque, si no, te dejaba de hablar. El silencio hostil era muy
común en esas épocas. Antes era muy difícil que los padres
reconocieran sus errores, pero hoy en día se la pasan constantemente pidiendo disculpas por lo que suponen que
han hecho mal.

Antes el padre, en la mesa, se llevaba la mejor parte de la
carne, ahora los que se llevan la mejor parte son nuestros
hijos. Si tu abuelita te llamaba, le contestabas "¿Mande
usted?" Es decir, ordéname lo que quieras. Te podía pedir
que le llevaras un vaso de leche e ibas. Ahora haz la
prueba y pídele a tu hijo algo. Seguramente te dirá: "Pí-
deselo a mi papá."

Antes nos mandaban, ahora tenemos que ser cuidadosos
incluso de la forma en que debemos dirigirnos a nuestros
hijos. En cierta medida, no es criticable. Tenemos más tacto
para abordar las relaciones padres-hijos, pero en ocasiones
parece demasiado. Estamos llegando a un punto en el que
ya casi ni nos atrevemos a educar a nuestros hijos por temor
a hacerlo mal. Sin embargo, lo que de verdad está mal
es no educarlos por temor o inseguridad.

¿Qué es lo que nos está pasando a los padres de hoy?
¿Por qué tenemos tanto sentimiento de culpa? ¿Qué nos hace
decidir cosas que nuestros padres nunca se hubieran imagi-

nado? ¿No creen que ya estuvo bien de tratar de complacer a nuestros hijos en todo?

En mis conferencias, cuando pregunto quién tiene miedo a la adolescencia de sus hijos, la mayoría de las madres alzan la mano. Si tenemos pavor a esta etapa estamos dando el poder a los chicos para que nos controlen.

Lo más grave de este fenómeno, es que desde el momento en que son los hijos quienes nos otorgan su amor, y nosotros quienes tenemos que merecérnoslo, son ellos quienes realmente tienen el poder en la familia. Es por eso que hoy los niños son los que mandan y los padres los que obedecemos, una situación sin precedentes en las generaciones anteriores.

Esta nueva posición de inferioridad paterna da lugar a ciertas actitudes inconcebibles de los padres de hoy como, por ejemplo, el creciente interés por ser los mejores amigos de nuestros hijos. Lo peor es que el esfuerzo por ganar su amistad nos lleva a actuar como aliados de nuestros hijos, por lo que estamos prontos a defenderlos ante la autoridad, ante el colegio, ante los profesores, etc., es decir, ante todo aquel que se atreva a contrariarlos. Lo que significa que no sólo no les ponemos límites, sino que nos oponemos a que otros lo hagan. Y lo que logramos es que los hijos se conviertan en personas irreverentes e irresponsables, que van por la vida exigiendo derechos que no tienen y privilegios que no se merecen, pero siempre sabiendo que, sus papás los sacarán de cualquier problema en que se metan.

El amor de los hijos no se compra, y menos a base de convertirnos en sus pares. El precio a pagar no puede ser colocarlos en el lugar que nos corresponde como padres porque los dejaríamos como huérfanos. Lo que realmente nos hará merecedores de su afecto y admiración, será la dedicación, y que estemos al mando de sus vidas hasta que tengan la madurez para hacerlo por sí mismos. Esto significa que nuestra función no es subyugar a los hijos como en el pasado, pero tampoco rendirnos a sus pies para que nos amen. Lo que debemos hacer, es liderar su travesía inicial para que puedan, más adelante, ser capitanes idóneos de sus propias vidas.

Cómo dice Blanco (2004): La pérdida de la influencia familiar es preocupante, pues significa que se está perdiendo la capacidad para intervenir positivamente en los hijos. Uno de los objetivos más apremiantes en la actualidad es la educación de la inteligencia, debido a que es un factor determinante para el desarrollo de la humanidad.

Es indispensable definir una clara visión del perfil de hombre y de familia. Todos los miembros de una familia son importantes. Las ideas de todos son valiosas y dignas de ser tomadas en cuenta. Las actitudes y las expresiones de todos pueden ser positivas y negativas. No hay que juzgarlas, hay que dejar que los niños se expresen libremente, hay que respetarlas. Pero también hay límites que deben respetarse.

El respeto de los padres a los hijos implica:

* Demostrar respeto hacia los esfuerzos del niño.
* No hacer demasiadas preguntas.
* No apresurarse a dar respuestas.
* Animar a los niños a emplear recursos fuera de su hogar.
* Implica aquellas que fortalezcan su autonomía.
* No se debe hablar mal de nadie, siempre se debe demostrar respeto hacia las aptitudes de su hijo.
* Los padres deben cuidar no decir demasiados no.

Si se transmite respeto hacia los hijos, se les enseña a ser responsables de todas sus acciones, y a ser respetuosos con ellos mismos, con los padres, y este modelo de conducta trasciende hacia la escuela y la sociedad. De ahí la importancia de estos valores. Respeto y responsabilidad van de la mano, sin embargo existe otro valor, si no más importante, sí de gran relevancia en la formación de los niños, y éste se refiere a la tolerancia.

La tolerancia es un valor que los padres deben fomentar tanto para ellos mismos como para sus hijos, de esta forma explotaran menos veces. También la tolerancia es saber respetar a las demás personas en su entorno, es decir en su forma de pensar, de ver las cosas, de sentir y es también saber discernir en forma cordial en lo que uno no está de acuerdo.

La tolerancia es la virtud y al mismo tiempo capacidad de saber controlar y aceptar situaciones molestas sin la necesidad de desesperarse o estallar en rabia. Es saber sobrellevar los diferentes puntos de vista, pero tampoco abusar de lo que crees que está mal.

"En cada agrupación familiar, hay valores positivos y negativos. Por lo que es importante que los profesionales de la educación (profesores, tutores, orientadores, directores...) procuren el diálogo sobre valores con las familias. La importancia del tema en la formación de niños y jóvenes y el hecho de que tanto familia como el centro escolar constituyen espacios socioeducativos de valores para ellos, avala la necesidad del diálogo" (Cobo 1994).

CAPÍTULO X

Amor firme con límites en adolescentes

Educar a un hijo es esencialmente ense-
ñarle a prescindir de nosotros.

BERGE

El amor firme con límites es una forma de expresar el cariño hacia nuestros hijos, siendo amable, pero firme con los hijos: establecer reglas con claridad y sin enojarse, pero también sin ablandarse y renunciar a imponerlas.

Un ejemplo en el queda muy claro este concepto es si nos imaginamos una pecera llena de agua y con un lindo pez. El amor sería el agua, el pez nuestro hijo y la pecera los límites. Los hijos necesitan conocer sus propios límites, claro que cada año la pecera irá creciendo porque si no el pez no va a caber en una pequeña, y se va a sentir suma-mente encerrado debido a que por su tamaño ya no cabe en ella.

Los padres debemos estar muy conscientes y cuidar que nuestros hijos no se sientan demasiado asfixiados por tan-tos límites. No es posible que cuando un adolescente quiere ir a un "antro" (y pensar que antes nosotros íbamos a discos y ahora nuestros chavos van a estos lugares, ¡no manches!, como dicen ellos), nosotros los padres les ordenemos que regresen a las 12 de la noche. Es lógico que van a pegar el grito en el cielo.

Tal vez ésa era una buena hora cuando tenían tardeadas, pero unos quince años empiezan a las 9 de la noche y uno los está recogiendo entre la 1 y las 2 de la mañana, lo bueno que en muchas invitaciones dicen la hora que termina la fiesta, claro que a tu hijo le gustará ser el último para ayudar abrir los regalos de la quinceañera, pero tampoco.

¿Sabías qué uno de los problemas más grande que tienen los padres con los hijos adolescentes es la hora de llegada? Los chicos siempre van a decir que a todos sus amigos los recogen después de las 3 de la mañana, pero lo mejor es que no hagas caso porque el mayor número de accidentes ocurren después de las 3 de la mañana.

Es importante que mantengas contacto con los papás de los amigos de tus hijos, para que estén en el mismo canal, ya que si van a tener una fiesta de cumpleaños y apenas tienen 15 años lo más conveniente es no dar alcohol aunque te digan que en todos los quince años han dado y todos se van a ir porque no van a ofrecer cervezas ni tequila. Pues que a ti no te importe y ofréceles agüita de Jamaica, horchata o Limón en las rocas.

Actualmente los padres deben trabajar en conjunto y poner límites a los adolescentes, para retrasar lo que más podamos el alcohol, los cigarros y las drogas. Si nosotros nos mantenemos en contacto permanente con nuestros adolescentes, exigiéndoles pero sin que se sienta explotados, educarlos sin que se sientan atacados, estaremos haciendo un buen trabajo.

Los padres lograrán conectarse con ellos de corazón a corazón y aceptaran la disciplina más fácilmente, ya que un hijo que se siente conectado con sus padres aceptará las reglas de su hogar, será respetuoso y responsable, por lo que los padres esperan de él un buen comportamiento.

Es decisivo que los papás eduquen con reglas y normas dentro del hogar, seguramente los niños no estarán de acuerdo, pero con comunicación y después con una buena negociación estarás cada vez más cerca de tus hijos.

Lo contrario al amor firme con límites es la brújula perdida tiene que ver con la falta de claridad en los límites entre lo que se puede y lo que no se puede. Imagínate la inmensidad del mar con un pez vela, nadando por todos lados sin saber cuál es su destino, cualquier pescador (llámalo amigo) puede ofrecerle droga, alcohol, y como este joven no sabe de límites, pues será más fácil que se vaya por el camino equivocado.

El amor firme con límites busca combinar el cariño y la solidez, para que los padres intervengan directamente sin miedo con los hijos. Estando totalmente convencidos que hablando amorosamente, pero con firmeza, se logrará que los hijos entiendan que se les quiere, y todas las reglas que los padres establezcan es por el bien de ellos, ya que los progenitores son los encargados de su bienestar. El miedo hacia los adolescentes es un fenómeno muy común en los padres de hoy. De hecho comienza desde muy temprana edad: cuando el niño tiene 3 años y se necesita establecer un plan de acción, los papás se aterran de lo que pasará cuando su hijo tenga 15 años, por eso la importancia de brindar una disciplina basada en valores.

Es decisivo invertir el tiempo ahora, para que el problema no se presente nuevamente, ya que si se deja pasar, se puede ir haciendo más grande e incontrolable. No se les hace ningún daño a los hijos, no se debe manejar sin culpas y sin miedo, pensando que todo esto es por su bien

Los progenitores, en el transcurso de la adolescencia, tendrán que seguir fijando límites para sus hijos. Por otro lado, los jóvenes deben aprender a respetar las reglas y a poner límites a su conducta como preparación para ingresar en la vida adulta.

En mi tesis acerca de la importancia de la comunicación entre padres e hijos, que ganó el premio nacional del DIF en 1994, afirmo que los niños que son educados con límites amorosos crecen también en autoestima. Es de suma importancia que los padres conscientemente toquen a sus hijos, porque en muchas ocasiones lo hacen de manera espontánea, pero no es suficiente. Los padres, mientras más llenen el tanque emocional de los hijos, más saludable será su identidad sexual y reaccionarán positivamente en la guía paternal en todos los ámbitos de su vida (Velasco 2005).

Los papás tienen que equilibrar el hecho de fijar límites con dar a los adolescentes una libertad apropiada para su edad. Los jóvenes siempre buscan romper las reglas y extralimitarse, pero para eso están los progenitores, para saber guiar a sus hijos con normas y reglas.

Implantar las reglas sólo significa hacer cumplir estos límites de manera eficaz, sin enojos y regaños, sino de una manera constante. Los padres que tienen confianza de la educación que están brindando a sus hijos lograrán que crezcan más seguros.

Por supuesto, establecer las reglas no basta. Los padres de hoy tienen que explicar sus razones a los adolescentes y darles la posibilidad de defender su postura. De esta manera se brinda la oportunidad a los jóvenes de decir lo que no les parece o lo que no están de acuerdo, de sentirse escuchados y comprendidos.

Según investigaciones, los padres excesivamente controladores suelen crear adolescentes rebeldes, así como los padres excesivamente permisivos crean adolescentes conflictivos. Cervantes afirma que los padres no deben ser siempre rigurosos ni siempre blandos, que deben escoger el medio entre dos extremos, en esto está el punto de la discreción.

Lo anterior es totalmente cierto, ya que si se jala más de un lado que de otro, lo único que puede ocurrir es que esa cuerda se reventará, y cuando eso ocurre los adolescentes explotan y huyen del hogar, o se casan o se emborrachan o se embarazan, se drogan porque ya no pueden más con el exceso de control de los padres.

El lenguaje del cariño y la firmeza mejoran la relación entre padres e hijos. Un niño querido es un ser humano seguro de sí mismo, protegido por sus padres, convencido que todos los límites amorosos marcados son única y exclusivamente por su bien, un hijo escuchado no será agresivo.

Los límites en la educación brindan seguridad a los niños, ya que ellos se enriquecen y prosperan cuando se marcan límites precisos. Aprenden que las acciones tienen consecuencias, tanto internas como externas. Al ayudar a tu hijo a conectarse se encontrará a sí mismo.

Con el paso del tiempo y la madurez del niño, los padres se dan cuenta que es mejor de tenerse y luego pensar para poder platicar con los pequeños en lugar de explotar y gritar.

El amor firme con límites otorga a los hijos seguridad para comportarse clara y coherentemente en el mundo. Es importante establecer objetivos con claridad, los padres de hoy se agobian por un sin fin de situaciones, tales como si el niño no come, si no se baña, si no hace la tarea, si hace muchos berrinches, si le pega a su hermano, si no hace caso, si hace tiradero, y en lo que los padres se deben enfocar es en solucionar éstos problemas uno por uno.

Un consejo que doy muy a menudo en mis conferencias es que los padres de familia luchen las batallas importantes con sus hijos, ya que muchos eligen pelear todos los conflictos que suceden durante el día. Pero lo único que ocurre es que la relación cotidiana se lastima.

Recuerdo que en una ocasión una madre me contó que le pidió a su hijo de cinco años que se lavara las manos y su hijo no quiso hacerlo, entonces comenzó la peor batalla, mandó a todo mundo para ver si lograban que obedeciera, pero el niño persistía en su negativa a lavarse las manos. La madre, ya histérica, hasta con toallazos le dio con tal de que lo hiciera. Lo que debió hacer fue darle un poco de gel antibacterial y listo. Por eso digo que luches las batallas que valgan la pena, las que no, hazlas a un lado y serás más feliz.

Poner límites en los niños es una gran ayuda, María Angélica Verduzco, en su libro Cómo poner límites a tus niños sin dañarlos comenta: "Yo, adulto, soy el responsable de su bienestar y de enseñarle lo que puede hacer o hasta dónde puede llegar y cuáles son las consecuencias de sus actos ". Establecer un límite es una labor de prevención y una manera de decirles te quiero, me preocupo por ti, por eso te digo lo que puedes hacer.

Los padres de familia deben de fijar límites con claridad, para que los adolescentes sientan en qué momento se están pasando, por eso lo decisivo de que los progenitores funjan como una brújula en la vida de sus hijos.

El objetivo real de la disciplina es enseñar a los niños a desempeñarse fácil y felizmente en este mundo. La firmeza es una gran ayuda en el desarrollo de los niños. Sin ella los niños no desarrollarán un control interior. Los padres que

dejan hacer lo que quieran a sus hijos por miedo a trau-
marlos, lo único que logran es no prepararlos para un mundo real. Es esencial enseñar a los niños a conseguir una
autodisciplina.

También es fundamental fijar límites razonables con los
adolescentes, de esta manera lograremos que nos hagan
caso y nos obedezcan, ya que si las reglas son congruentes con el desarrollo del joven, las llevará a cabo sin problema. Los padres durante la adolescencia deben de ir
asumiendo riesgos para que sus hijos fortalezcan sus
raíces y vayan extendiendo sus alas, para que cuando
estén listos empiecen a volar del nido de sus padres.

Es decisivo que los padres utilicen el Método del lenguaje del cariño combinado con el amor firme con límites,
de esta forma respetarán a tus hijos evitando los regaños
y castigos, y se convertirán en mejores formas de comunicarse para lograr mejorar la relación entre padres e hijos,
buscando cada día armonía y equilibrio en la vida familiar.

De Oruga a Mariposa

Mamá, papá,
me siento como una oruga.
¿Saben?, soy su hijo
que está creciendo,
cometo errores,
tengo resbalones.
me caigo, me raspo,
gracias por levantarme.

No intenten romper mi capullo,
tengo que hacerlo yo solo
para que mis alas tengan fuerza para volar.
No hagan cosas por mí cuando
yo pueda hacerlas por mí mismo.
Se los agradezco, pero tengo que aprender.

¿Saben?, para saber volar
hay que ir creciendo el espacio,
hay que ir asumiendo riesgos
para que poco a poco
vaya extendiendo
mis pequeñas alas
que el día de mañana crecerán.

Mamá, papá,
déjenme hacer unas pruebas,

déjenme libre,
no tengo miedo,
sé que ustedes me protegen,
sé que ustedes siempre estarán a mi lado

Estoy emocionado.
casi soy un joven,
visualizo mis alas
aunque todavía
no puedo volar,
veo esos bellos colores
que me harán brillar.
Algún día seré una bella mariposa,
aunque sé que todavía soy una oruga.

Mamá, papá
enséñenme a volar.

CAPÍTULO XI

¿Cómo enseñar a los hijos a manejar el estrés?

Hijos pequeños, problemas pequeños;
hijos grandes, problemas grandes.

El estrés es una respuesta a las preocupaciones y respon-sabilidades. Comúnmente, se cree que sólo los adultos en-frentan situaciones estresantes, pues uno de los mitos de la adolescencia es que es la época de la irresponsabilidad y la despreocupación, cuando los chicos tienen todo el tiem-po del mundo a su favor, y van por la vida sin cargas emo-cionales ni grandes responsabilidades. Sin embargo, la falta de comunicación, las diferencias generacionales, la adaptación al mundo, el temor al futuro y otros elemen-tos, hacen que los jóvenes también se estresen, y como aún no poseen la madurez suficiente para manejar estos sentimientos, les cuesta mucho reconocerlos y superarlos. Este problema puede convertirse en un punto decisivo en la educación de los hijos: sabemos que educar es sacar lo mejor de cada ser humano y disciplina viene de discípulo, que significa enseñar y no castigar.

Por lo tanto, los padres tienen que estar conscientes de que, cuando sus hijos salen de la infancia, viven una etapa crucial en la vida de todo individuo. Es el momento en el cual lo que los padres sembraron en la niñez se cosecharán en la adolescencia. Por eso la importancia de ayudar a los hijos desde pequeños a controlar sus impulsos y a manejar el estrés.

Existe un aforismo que viene muy a cuento: "Hijos pequeños, problemas pequeños; hijos grandes, problemas grandes". Si un niño de cinco años muerde a un compañero, seguramente ese corcholatazo que le hizo se convertirá en una expulsión y en un buen regaño en casa. No pasará a mayores. Pero en un adolescente una falta de control se puede convertir en un ataque con un chuchillo contra otro compañero. Así de serio se deben tomar las cosas, pues de una situación tan grave como ésta puede resultar un herido o muerto. La consecuencia es la cárcel, y no hay marcha atrás.

Muchas veces hemos visto a niños que avientan las cosas, le pegan a su mamá y no tienen control sobre ellos mismos. Como son pequeños aún, no se le da mucha importancia a su conducta. Tal vez a esa edad no se dimensione lo preocupante que puede ser, pero yo me pregunto: si este niño a los 3 años tiene este tipo de conductas, ¿qué hará a los 18 años? Seguramente se convertirá en un adolescente incontrolable y peligroso.

El autocontrol en todo individuo es fundamental para un futuro mejor, ya que un mal manejo del estrés se puede convertir en un caos. Por eso la importancia de mi llamado para que los padres de familia pongan atención en estas pequeñas expresiones de enojo o de furia, que pueden ser tan perjudiciales en la vida de un niño y marcarlo para toda la vida.

Por ejemplo, si tu hijo está jugando tenis y de pronto avienta la raqueta, en ese preciso instante debes acercarte a él y decirle que no quieres volver a ver que la tire, que es un gesto anti deportivo. Además es un acto potencialmente peligroso, ya que le puede pegar a alguien y dañarlo.

Una adolescente me comentaba en un email que ella estudiaba para chef. Lo relevante de su comentario fue algo que me dejó paralizada: en una ocasión, unas alumnas comenzaron a pelear dentro de la escuela. Después de las palabras antisonantes y unos cuantos manotazos, las cosas se pusieron más graves, al extremo de que comenzaron a pelear a cuchillazos (sí, a cuchillazos). No es posible que las cosas lleguen a ese punto. Y sin embargo, llegan. Y de ahí a matarse sólo hay una línea muy delgada. Esto ilustra perfectamente las consecuencias de no saber manejar el estrés y las frustraciones.

Los padres debemos enseñar técnicas de relajación a nuestros hijos. Respirar tres veces profundamente por la nariz, contar hasta diez, inspirarles sentimientos positivos fuertes, hacerles ver que nadie pero nadie tiene el poder de ponerlos ni de malas ni de buenas, que sólo de ellos depende hacer de su día un evento feliz o infeliz.

de ponerlos ni de malas ni de buenas, que sólo de ellos depende hacer de su día un evento feliz o infeliz.

Por ningún motivo los padres pueden tolerar expresiones de ira de los hijos, deben poner límites muy drásticos. Para ello, el ejemplo es necesario y muy importante. No sirve de nada que le llames la atención por no saber controlar sus emociones si observan que sus padres son agresivos con los demás y tienen un carácter hostil.

Por principio de civilización, se debe estar en contra de la agresión, puesto que no lleva a nada bueno: afecta la vida de la persona agresiva y de los que están a su alrededor, además de que los meten en muchos problemas. ¿Cómo podemos hacer que un niño cambie? Primero que nada, el papá debe cambiar. No es lo que se dice, sino la forma que se dice. Yo entiendo que un hijo aprende del mal o buen ejemplo del padre, por eso los progenitores deben estar conscientes de su proceder.

Cuando vemos adolescentes que explotan por cualquier detalle, se enojan, hablan groserías, le pegan a la pared, al hermano o a quien se encuentre enfrente, lo más probable es que estos jóvenes han sido educados por padres que no han sabido guiarlos ni ponerles límites. Simplemente no les han enseñado a controlarse.

Cómo afirma Castillo (2002): La adolescencia es una etapa crítica de todo ser humano. La palabra crisis, si lo consideramos desde un punto de vista positivo, significa crecimiento (físico y psíquico), desarrollo de la personalidad, búsqueda de la conducta autónoma. Toda crisis significa un replanteamiento del pasado (en este caso la infancia) y un esfuerzo para adaptarse a su nueva etapa.

Lo decisivo es que, aunque los jóvenes discutan por todo, incluso por cosas insignificantes, no encuentren eco en sus padres, quienes deben estar conscientes de ello y no jugar su juego. Si lo hacen, lo único que conseguirán es reñir todo el santo día por todo y para todo.

Por otro lado, existen padres que descargan todas sus frustraciones en sus hijos. En lugar de proporcionar un buen ejemplo, dan el peor de los ejemplos de conductas nocivas cuando no se dan cuenta de que son ellos los primeros que deben cambiar. Como dice una carta que escribí:

"Un hijo nos ayuda a crecer como personas, ya que son el reflejo de nuestros defectos que todavía no hemos corregido. Aprendan a través de ellos, ya que nos enseñan a mejorar como personas. Si no lo hacemos, se repetirá la historia.

Agradezcan a estos pequeños grandes Maestros que nos brinda la vida para poder crecer como seres humanos."

Es importante que reflexiones y te des cuenta de la importancia de hacer consciente tu inconsciente. En la gran mayoría de los casos se logra con una ayuda profesional, ya que es la única manera de poder corregir tus errores, porque muchas veces por más que luches por controlarlos, estos son totalmente inconscientes, y lo peor es que tus hijos te imitan.

Los valores que transmiten tanto la madre como el padre son una enseñanza para crear seres humanos de bien,

DIFERENCIAS DE GÉNERO

Los chicos suelen mostrarse reservados y rechazan cualquier comportamiento maternal que sugiera intimidad física y psicológica. Para Anthony Wolf, los chicos son por lo común menos verbales y más físicos en sus respuestas al estrés que las chicas. La expresión física puede ser activa (pegarle a la pared, azotar la puerta, aventar cosas) o muy pasiva (quedarse acostados o viendo la televisión).

Wolf nota que, en contraste, las adolescentes son por lo común más verbales al manejar el estrés, son más vocales al expresar inseguridad, celos y competitividad. En cambio hay otro tipo de mujeres, las pasivas, que mantienen sus sentimientos encerrados, controlados y casi imperceptibles.

Los adultos que les dan cuidados saben escuchar y reafirmar la necesidad que los jóvenes tienen de explorar y tomar decisiones; y al mismo tiempo, les proporcionan cierta dirección y apoyo.

Para que la comunicación con los adultos funcione, debes de escuchar las experiencias y las percepciones de estrés de los jóvenes, y resolver después los problemas con ellos para encontrar formas mejores de manejarlo.

Según Schmitz (2005), si no existen buenas técnicas de comunicación, el mero hecho de comunicar las propias necesidades, pensamientos y opiniones (positivos o negativos) puede estresarlos. La incapacidad de comunicarse o hacerlo de la forma incorrecta puede ocasionar problemas. Si aprenden a reforzarse a sí mismos de forma verbal en diversas situaciones, los chicos aliviaran los conflictos interpersonales y reforzarán las relaciones.

La comunicación en general es considerada como una habilidad vital en todo ser humano, pues actúa directamente sobre la fuente del estrés interpersonal. La forma en que los padres se comunican con sus hijos es la clave del éxito para esta relación, ya que pueden atraer o repelerlos, llevar a cabo un problema o crear confianza y cooperación.

La comunicación asertiva es una forma particular de comunicación que ayuda a sentirnos menos como víctimas y a tener mayor control sobre la vida.

A continuación brindaré algunos practiconsejos para manejar el estrés en nuestros hijos:

1. Conocer el origen del enojo.
2. Descubrir cuáles son los niveles de tolerancia.
3. Detectar qué ocasiona que exploten los hijos.
4. Enseñar a los jóvenes a conocerse a sí mismo para saber cuando sus límites se rebasan.
5. Cuando veamos a los hijos en un nivel de estrés incontrolable, enseñarles cómo manejarlo y prevenirlo.
6. Escucharlos cuando estén en un momento de crisis.
7. Entender la magnitud de sus problemas y considerarlos.
8. Tomar el tiempo para detectar cuando estén perdiendo el control.

9. Comprender el momento de desarrollo que están viviendo.

10. Aprender a comunicarse con los adolescentes para lograr una mejor relación entre padres e hijos.

CAPÍTULO XII

Comunicación
con los adolescentes

Antes de hablar, piensa lo que vas a decir; la lengua, en muchos, precede a la reflexión.

ISÓCRATES

La adolescencia es una etapa decisiva para la construcción tanto de la de la identidad masculina como de la femenina. Adolescencia viene del latín adoleceré, que significa madurar. Los padres de familia, en lugar de tener miedo, tienen que prepararse para esta época difícil que sus hijos van a vivir.

Tanto los padres como las madres tienen dos opciones: o disfrutar esta etapa de crecimiento, en donde no tienes que estar cambiando de pañal, ni sufriendo por las vacunas, ni porque se enfermaron, ni porque no comen bien, pelear todo el día porque no recogió su cuarto, no se peinó o respondió con malos modales. En verdad, lo mejor es que luchen las batallas que deben luchar. La higiene es un punto importante, la escuela también, pero si no hizo la cama en domingo, pues lo mejor es no hacer un drama y dejarlo pasar.

Yo he visto estos dos tipo de mamás: una que sufre y tienen terror a la adolescencia y, en cambio, la otra que goza y aprovecha esta etapa de cambios. Alguna vez una amiga me comentó que ser madre de varones traía una ventaja, que consistía en que empezabas a ser pareja con tu esposo antes, y esto es verdad.

De hecho los varones son más independientes que las mujeres, por costumbre generacional los padres dan más permisos a los hijos que a las hijas, pueden llegar más tarde que sus hermanas. Pueden utilizar el coche más fácil en la noche, porque sería muy chistoso que su amiga pasará por él, ya que sus papás no le prestaron el auto. Bueno, cada vez con más frecuencia van a ocurrir este tipo de cambios. Por ejemplo, es muy curioso subirte al taxi y que el chofer sea mujer, pero ya está pasando.

A las mujeres de hoy que juegan futbol, y si les comentas que hace 30 años era imposible que una dama jugará soccer porque no había equipo para ellas y se les hace muy raro. A mí me hubiera encantado jugar futbol como mi querido hermano Roberto, pero en aquella época ni pensarlo, tal vez hubiera sido la Marigol de ayer, pero tuve que buscar otro deporte.

Otro dato curioso que da testimonio de los cambios: en la Escuela Superior de Guerra apenas en el 2009 abrieron las puertas para mujeres. En la actualidad sólo hay dos alumnas, y tuvieron que hacer baños y vestidores para ellas porque no existían. ¿Puedes creer que en pleno siglo XXI esté pasando esto?

Lo anterior lo comento porque la nueva generación de mujeres viene con otra idea, es impresionante cómo ahora se está dando tanta fuerza a la equidad de género. Las mujeres valoran otro tipo de comunicación basada en el respeto, que por tantos años se hizo a un lado.

El objetivo de los padres de familia es establecer una relación de respeto, pero este valor debe ser de padres a hijos y viceversa. Debido a que antes si el padre era el culpable, el que se tenía que acercarse a pedir perdón era el hijo, porque si no perdía los privilegios debido a que su padre estaba enojado.

Tanto papá como mamá deben estar conscientes de que su hijo y ellos tienen los mismos derechos como seres humanos, deben y me deben respeto. Por eso los progenitores deben de brindar un modelo de vida para que aprendan a cuidarse por ellos mismos, de sus sentimientos, de sus deseos, que les permitan desarrollarse para ser felices.

En esta etapa de su vida el hombre se identificará con su padre; si está ausente, buscará modelos masculinos como atletas, profesores, estrellas de rock, parientes, entre otros. Claro que lo mejor es imitar a su propio padre de carne y hueso con todo y sus limitaciones, no a la estrella idealizada.

Empieza ahora a construir una relación que guíe a los hijos a través de las tormentas de la adolescencia. Lo importante es desactivar la bomba de tiempo del futuro joven durante la infancia. Esto se logra con un saludable equilibrio entre la autoridad y el amor en casa. Aunque los padres tienen una influencia enorme en las vidas de sus hijos, no son más que un componente en la formación de los niños. Los adolescentes deben ser individuos únicos, capaces de tener un pensamiento independiente y racional. Ya se están individualizando, su comportamiento es sólo temporal.

Recuerda, los hijos son seres humanos que están viviendo un proceso de individualización, un proceso que es único para ellos. No luches contra esto, trata de entender el momento que están atravesando, pues no es nada fácil para ellos.

Algunas de las características de la individualización de los adolescentes, según Nelsen y Lott (2003):

1. Tienen la necesidad de descubrir quiénes son.
2. La individualización en ocasiones se confunde con rebeldía.
3. Atraviesan por enormes cambios físicos y emocionales.
4. Prefieren la relación con los amigos que con la familia.
5. Exploran y ejercitan el poder personal la autonomía.
6. Tienen una gran necesidad de privacidad (por eso cierran su puerta).
7. Se sienten omnipotentes y sabihondos.

Hay una metáfora que me gustaría poner como ejemplo: en la infancia el piloto del avión siempre ha sido el padre o la madre, cuando llega la adolescencia tienes que asumir que el piloto de la aeronave será tu hijo y tu sólo serás el copiloto, de esta forma le podrás dar algunas indicaciones por si se ha equivocado de ruta, le pondrás sobre aviso que se avecina un mal tiempo, si alguna parte del avión esta averiada, que una turbina no está funcionando bien, pero por ningún motivo lo debes quitar del cargo de piloto.

El único responsable de pilotar su propia nave es él mismo. No estoy diciendo que cuando exista una tormenta y estén en el ojo del huracán, te pares de tu puesto de copiloto y le digas: "Bueno, ahí te dejo el avión porque yo me voy a echar una siestita", pues no. Durante los años que abarca la adolescencia, que son desde los 12 a los 18 aproximadamente, tú o tu esposo serán siempre los copilotos.

Las actitudes de los padres hacia sus hijos ha cambiado completamente: desde la opresión y la rigidez en un extremo hasta la permisividad y la debilidad en el otro.

Desgraciadamente los padres de hoy, piensan que al llegar la adolescencia deben soltarlos y ellos deben saber qué hacer. Cuando veo a los jóvenes en los centros comerciales fumando y tomando, yo me pregunto dónde están sus papás. Por favor, tienen que estar conscientes de que la única forma que él aprenda a pilotear el avión solito es tu siendo su copiloto, para que lo guíes cuando excedió el límite de velocidad, cuando tomó algunas copas y no está apto para navegar por sí solo.

Es mucho mejor ayudar a los hijos a prepararse para las situaciones peligrosas en lugar de temerlas. En ocasiones hay que enfrentarlas, pero todo esto sólo es el aprendizaje para la vida futura. Si tú no tienes la capacidad de enseñar a tus hijos, ¿entonces quien será su maestro?

Recuerda que nuestros genes influyen en cualidades tales como la creatividad, la sabiduría, la amabilidad, la inteligencia, la generosidad, y hasta la alegría de vivir. Pero nuestros hijos son como las huellas digitales únicas e irrepetibles, por eso hay que respetar su individualidad como ser humano.

Es fundamental tratar de entender a los hijos; saber detectar qué pasa por su mente qué les preocupa, qué nos quieren transmitir, porque muchas veces con sólo entender su comunicación no verbal entenderemos lo que realmente necesitan. Por eso invito a los padres a que conozcan más a fondo a sus hijos y de esta forma sabrán lo que están viviendo en cada momento de su vida.

La base de la comunicación entre padres e hijos es amarlos, interesarse por lo que hacen y apoyarlos para que vayan resolviendo sus dificultades. El objetivo de la sinceridad y la discreción es ayudar a que exista confianza para que los hijos puedan explicar sus ideales, sus problemas, sus alegrías.

Los padres debemos preparar a los hijos para el mundo de la adolescencia. No solamente deben dedicar tiempo a compartir actividades, sino que también deben conversar acerca de sus sentimientos. Deben propiciar los momentos en que se produzca una conversación más profunda. Tal vez sea más fácil si se aprovechan ocasiones tales como cuando el padre esté reparando el auto y su hijo le esté ayudando, o cuando la madre esté ocupada arreglando el jardín y el joven esté con ella.

También es importante crear un espacio común en casa donde se encuentren la computadora, la televisión, los juegos electrónicos, una sala muy cómoda. Los padres que hacen un ritual del tiempo en la familia cuando sus hijos son pequeños tienen que luchar menos cuando entran en la adolescencia.

Si la infancia es el lugar donde padre e hijo se encuentran mutuamente, entonces la adolescencia es el momento en que se pierden uno a otro.

Los padres de hoy hacen un esfuerzo extra para tratar de comprender a sus hijos adolescentes, por eso la importancia de introducir nuevas maneras de relacionarte con él en el plano cotidiano. Los padres de otras generaciones no pasaban por esto porque eran más obedientes, ahora los hijos objetan cualquier negativa de permiso, antes se sabía que decir No era No, pasara lo que pasara, no había ningún tipo de negociación, por eso a mí no me gusta cuando dicen "Porque lo mando yo". Desgraciadamente esa frase, que era muy válida hace unas décadas, ahora ya perdió su valor.

La adolescencia es un periodo de grandes cambios. Los niños adorables que conocíamos crecen y se vuelven irreconocibles. El padre tiene que escuchar más atentamente las demandas de su hijo, sin rechazarlas.

El amor firme con límites permite que los hijos se hagan responsables de sus decisiones con responsabilidad y respeto. Lo más seguro es que los jóvenes no se pasen de la raya si saben lo que se le espera y tienen sus límites muy bien definidos.

Desde hace más de 15 años he investigado acerca de la comunicación entre padres e hijos y estoy segura que la comunicación es la raíz de las buenas relaciones, ya que un buen lenguaje positivo genera confianza y armonía en el hogar. A través de una comunicación sincera y con respeto se pueden expresar diferentes opiniones, tu hijo no siempre debe estar de acuerdo con los que dices, escucha lo que dice; recuerda que la vida nos dio dos oídos y una boca, por lo tanto escucha el doble de lo que hablas. A través de tu silencio y tus comentarios puntuales tu hijo aprenderá a decir lo que siente.

Los padres deben proponer a su hijo adolescente que intente dominar su sentimiento de disgusto (evitando la cólera, el mal humor, la ira y el enojo desmedido) en la primera contrariedad que se le presente. Si se fomenta la reflexión antes de actuar, los jóvenes se evitarán muchos problemas.

Negociar las soluciones a los conflictos de forma amigable, compartir experiencias y sentirse cómodos en presencia del otro. En los adolescentes que hablan cotidianamente con sus padres se observa la tendencia de no meterse en líos y a establecer relaciones sanas y estrechas con otras personas de ambos sexos.

Los adolescentes de hoy tienen una manera de pensar y de vivir que no se asemeja en casi nada a la forma de pensar y de vivir de los adolescentes de hace tan sólo veinte o treinta años. Ello se debe, sin duda, a que los adolescentes han sido más receptivos que los adultos a los cambios sociales.

Los padres tienen que esforzarse de verdad para conectar con sus hijos. Si los padres logran hacerlo, en las situaciones y desafíos cotidianos, la relación será mucho más productiva. De esta manera se acercarán a sus hijos y habrá muchas lecciones que pueden enseñar

Cuando padres e hijos han creado un vínculo sólido durante la infancia, pueden adentrarse con más facilidad en los asuntos más íntimos y complejos de la adolescencia. Cuando una madre me pregunta cómo puede comunicarse con su adolescente, yo le pregunto cómo ha sido su relación desde pequeños, porque en muchas ocasiones hay rencor y odio por el pasado.

El padre debe escuchar, no juzgar ni criticar, y después debe ofrecer su ayuda. Mantener la puerta abierta para un diálogo permitirá que en el futuro tu hijo reaccione positivamente. Seguramente en ese preciso instante madre e hijo resolverán los problemas sin dificultad, pues habrán logrado estar en la misma frecuencia, estando dispuestos a trabajar en conjunto para poder obtener buenos resultados.

Entablar pláticas con tus hijos es cultivar una estrecha relación, lo esencial es hablar con él regularmente, 20 minutos de conversación bastan para poder llegar a entablar una mejor relación. Una de las preguntas para poder iniciar una conversación es: "¿Qué piensas?" Es impresionante cómo a los adolescentes les encanta compartir lo que piensan y hablar de sí mismo con sus padres. Sólo recuerda que la información tiene que fluir en dos sentidos, para que no se convierta en un monólogo o en un interrogatorio, porque en verdad eso si lo odian, y en el momento que detectan que eres la Gestapo haciéndole preguntas, seguramente abrirán su computadora o tomarán su celular, desentendiéndose de la charla que mantienen contigo.

Una de las principales claves para escuchar es estar en silencio. Guarda silencio cuando escuchas, porque no se puede hablar y escuchar al mismo tiempo. Tu hijo realmente valorará que te tomes tiempo para platicar con él. Primero tú lo buscarás, pero verás que pronto él mismo empezará a buscarte más para hablar contigo de todas esas cosas que le están dando en su cabeza.

Aprovecha las oportunidades que se te brindan a lo largo del día con tu hijo. Valoramos poco la comunicación cotidiana, pero en ella está la base para abrir un nuevo canal de relación entre padres e hijos. Tu hijo necesita que lo escuches y orientes a los largo del difícil camino de la adolescencia.

CAPÍTULO XIII

Secuelas del maltrato

Cuando empleamos la violencia con nuestros hijos, sacamos la furia del niño herido que fuimos.
Entender que este gesto sólo provoca tristeza y frustración es dar un paso para abrirnos a la comprensión y a la ternura.

LAURA GUTMAN

México es un país en crecimiento continuo y no escapa a la globalización en términos de costumbres, modas, hábitos de consumo e intereses personales y grupales; aunado a esto, deben atenderse de manera especial y prioritaria los descubrimientos de las nuevas estrategias y técnicas pedagógicas en el campo de la educación dentro de la familia, pues el origen formativo de toda persona inicia justamente en el nicho familiar. Sin exagerar, literalmente, es en el seno de la familia donde se incuban los cambios sociales. Ya que el individuo, y no la multitud, es el verdadero motor del cambio en toda sociedad globalizada, iniciando claro está, en la familia. Por esa razón, tan relevante para mí, destaco con énfasis la comunicación entre padres e hijos. Siendo una actividad tan importante, se ha tornado cotidiana, dando por hecho la existencia de esa "franca comunicación familiar", por ende los educadores formales tienden a pasarla por alto y no le dan la debida importancia

145

Es por ello que en la educación familiar se hace imperioso buscar un espacio donde niños, adolescentes y adultos crezcan como personas únicas e irrepetibles, ya que educar es formar, guiar, transformar, para sacar lo mejor de cada individuo. Como sucede al esculpir en un bloque de mármol, del cual resulta una bella escultura gracias a las cinceladas y a la sensibilidad del artista, así los padres de familia deben moldear a sus hijos para que trasciendan como personas de bien.

Cómo afirma John Rusrin: "Educar a un niño no es hacerle aprender algo que ya sabía, sino hacer de él alguien que no existía".

Cada hijo de familia tiene oportunidad de destacar como persona si es guiado adecuadamente por los padres. Sin embargo, si los papás carecen de elementos básicos de educación familiar, o no se hacen responsables de ella, el resultado será un comportamiento desastroso de consecuencias negativas para el hijo. Los padres y la sociedad en su conjunto deben proporcionar a los hijos las herramientas disciplinarias necesarias y esenciales para salir adelante como personas consolidadas.

En mis libros Por favor no me griten y Mamá, papá: mejor escúchenme puntualizo el desarrollo y comportamiento de los niños de 6 a 12 años, y al plantear las características de los pequeños de esta edad, tomo en cuenta y reafirmo la idea de que si los padres de familia conocen más de cerca a sus hijos y tienen conocimiento de su desarrollo, así como de los cambios tanto físicos como emocionales, lograrán una mejor comunicación entre padres e hijos.

Esta es la premisa en la que he basado todas mis investigaciones y las he expuesto en la serie "El Método del Lenguaje del Cariño", que ahora ya consta de 5 volúmenes. En ellos hablo de que los padres de familia deben amar y conocer a sus hijos más de cerca para que éstos acepten la disciplina en sus vidas y no la perciban como "un lastre que tienen a bien cumplir". El autocontrol y la disciplina no son conductas espontáneas, ni se explican por sí mismas. Un padre que sólo exige disciplina está impartiendo una educación incompleta. En cambio, si los niños están conscientes de que sus padres los aman, sabrán que cualquier regla que se les imponga será por su bien, y no por el capricho o la autoridad de unos padres impositivos. Es por ello que los progenitores deben transmitir seguridad a sus hijos, para contribuir al desarrollo sano de la autoestima, herramienta útil para el transcurso de su vida.

Sin embargo, debe tomarse en cuenta que, en el delicado espectro de la educación familiar, los extremos son indeseables. Por lo tanto, las madres como los padres deben convertirse en guías, más no en sus amigos, éste es un complemento importante en la educación, ya que los hijos deberán estar bajo el control de los padres, por eso a lo largo de esta investigación se profundiza acerca del concepto de disciplina y lo positiva que es para educar de manera exitosa a los niños. Para muchos padres es tentador el concepto de disciplina suave, una forma de educación que no lleva a ningún lado, porque ni logra dotar de autoridad real a los padres, ni brinda puntos de referencia firmes a los hijos. Debido a esto, en ocasiones los hijos se sienten por encima de los padres, lo que Jirina Prekof llama "niños tiranos", quienes son incapaces de ejercer control eficaz, lo que conlleva al desastre su vida.

Así como algunos especialistas desdeñan la importancia de la comunicación, para muchos padres, la educación familiar es un área tan cotidiana que no le dan la debida importancia, por lo cual se brindan a lo largo de este libro diversos instrumentos, necesarios en la familia, para facilitar la vida diaria y lograr así la formación completa de los hijos aplicando conocimientos educativos.

Algo que me sorprendió cuando llevé a cabo mi investigación fue contrastar la forma en que se manejaba la educación hace 30 años con la actual. Hace apenas unas cuantas generaciones, los niños de tres décadas anteriores eran fácilmente controlados con la mirada y obedecían las órdenes emitidas por los padres sin objeción alguna. Hoy en día puedo decir que los niños conocen sus derechos y, en más de una ocasión, hacen uso de ellos para abusar o confundir a los padres. Por eso resalto que a los hijos se les debe guiar para que se responsabilicen poco a poco de sus actos. De este modo, el día de mañana serán capaces de distinguir lo bueno de lo malo por sí mismos, usando su propio criterio sin la ayuda, el apoyo o la presión de los padres, porque los padres en la actualidad se han convertido en formadores axiológicos de los hijos, esto hace que los niños conozcan su derechos, pero distingan claramente cuáles son sus responsabilidades como personas.

Hace 30 años, Lessin (1978) decía: "La razón por la que el castigo con vara es el método más amoroso de disciplina, está en que es el más efectivo para hacerle frente al problema de la desobediencia y las actitudes incorrectas. Es el método más tranquilo y seguro para guiar a los niños hacia la obediencia y a la felicidad." La anterior afirmación es sorprendente, pues no tiene ningún fundamento pedagógico, salvo el de la costumbre y la comodidad. Al leer esta cita, realmente entiendo por qué todavía existen padres de familia que siguen maltratando a sus hijos tanto física como psicológicamente.

Me interesa también resaltar que los padres no deben ni regañar ni castigar a sus hijos, ya que el regaño es una forma agresiva de llamar la atención a los pequeños, y el castigo también es una manera ofensiva de imponer una sanción. Muchos podrían pensar que la eliminación de los regaños y los castigos es el inicio de la anarquía educativa, por ello planteo una alternativa más eficaz y de un valor formativo inestimable.

En otras palabras, sustituir el castigo por la aplicación de lo que tiendo en llamar "consecuencia derivada de los actos". Porque sólo cuando se le hace ver al niño las consecuencias de sus acciones, es cuando se percata él mismo de la relevancia y trascendencia que tendrá un comportamiento axiológico, el cual va adquiriendo con el tiempo y bajo el cuidado congruente de los padres que verdaderamente se han comprometido como formadores y transformadores de sus hijos.

Con los libros Por favor no me griten, Mejor escúchenme, y ahora con este libro, pretendo brindar información a los padres para que ayuden a sus hijos a convertirse en adultos congruentes, responsables y felices. También hacer consciencia en los padres de que tienen que enseñarles a sus hijos a identificar claramente lo que ellos necesitan, para que la familia trabaje en conjunto y de forma armoniosa. Mientras mejor preparados estén los padres, más herramientas de comunicación tendrán dentro del núcleo familiar con el propósito fiel de dominar una mejor comunicación entre padres e hijos.

Cómo afirma Marshall B, Rosenberg en su libro Comunicación no violenta, un lenguaje de vida: Aprende a comunicarte de manera sincera, clara y cuidadosa, expresando tus necesidades y escuchando las necesidades de otro. Conoce el poder de la empatía y del lenguaje en cualquier situación, personal, laboral, social o política.

Una verdad de la que estoy convencida es que a mayor comunicación, menor maltrato. Esta ecuación tan simple a veces resulta difícil de llevar a cabo entre los padres de familia debido a los trajines de la vida cotidiana. Por otra parte, como he dicho antes, se cree que la comunicación ocurre de modo natural y se le resta importancia. La consecuencia, por supuesto, es una mala comunicación que da lugar a malentendidos; y de ahí a la violencia verbal o física no hay ni siquiera un paso.

Me he dado cuenta que en muchas situaciones los padres maltratan a sus hijos, a veces sin darse cuenta. El maltrato infantil es un grave problema que, en vez de disminuir, va en aumento cada vez más, y con él la desvalorización del niño como ser humano.

Muchos padres de familia piensan que son amorosos con sus hijos porque no les pegan. Sin embargo, lo más probable es que no estén conscientes de un tipo de violencia que es tanto o más grave que la física: el maltrato emocional y psicológico, el cual ocurre, en general, simplemente porque no se manejan herramientas adecuadas de comunicación. Por eso hago un llamado sobre este problema, y a lo largo de este libro brindo a los padres métodos de crianza valiosos y adecuados a la vertiginosa época que vivimos.

También invito a los padres para que conozcan mejor a sus hijos, lean acerca de su desarrollo y cuál es la mejor manera de tratarlos. Nuevamente, el concepto de comunicación es uno de los elementos importantes. Y buena parte de esta obra se dedica a desterrar los mitos y malentendidos en torno a la comunicación.

Muchos padres de familia desperdician la poca comunicación que pueden tener con sus hijos en interrogatorios y regaños continuos. Luego de largas sesiones de maltrato psicológico y violencia verbal, dejan a sus hijos y se quedan con la idea de que han practicado la comunicación con ellos. Por supuesto, no se dan cuenta de que saber escuchar es uno de los elementos educativos más poderosos y, también, un arte que los padres deben aprender.

Los padres de familia deben aprender escuchar a sus hijos de una manera más eficaz, para lograr abrir un puente de comunicación entre padres e hijos.

A lo largo de este libro también se pretende fomentar entre las madres el tiempo de calidad que brindan a sus hijos. Desgraciadamente, el mundo de hoy impone un ritmo que hace cada vez más difícil la práctica de una buena educación, pues las madres tienen que salir a trabajar, sus quehaceres se multiplican, y por causa de ellos, suelen tener dificultades para encontrar el tiempo necesario para poder disfrutar a sus hijos, delegando a otras personas su educación, que en la mayoría de los casos son las inadecuadas.

También se brindan herramientas prácticas para conocer a los hijos y ayudarlos a superar sus limitaciones y enseñarles valores que formen su carácter. Mandar y dar órdenes sólo sirve para domesticar. Los padres deben de aprender que el Lenguaje del cariño es una forma de educar mucho más positiva y beneficiosa.

Después dar muchas conferencias me doy cuenta, que por más que les diga a las madres que no les griten a sus hijos, lo siguen haciendo. Por eso, al escribir mi libro Mujer, escucha tu interior, de mi nueva colección Mujeres hechas en México, hablo acerca de las importancia de que las mujeres hagan cosas por y para ellas, debido a que a lo largo de mi investigación me di cuenta que para sea una mamá feliz primero se tiene que ser una mujer feliz, ya que una madre frustrada es la que explota, grita y regaña con mayor facilidad a sus hijos; en cambio, una mujer que pueda equilibrar la vida familiar y profesional, va poder dar más calidad a sus pequeños sin necesidad de utilizar ni la violencia física ni la emocional.

Soy comunicóloga de profesión, hace varios años gané el premio nacional del DIF con la investigación La importancia de la comunicación entre madre e hijo, hace 15 años era madre primeriza y no existía casi nada acerca del lenguaje entre padres e hijos, es impresionante cómo tiempo después se ha dado tanto énfasis y por ello doy un significado especial. Creo que a lo largo de mi carrera profesional he sido una de las precursoras en destacar la importancia de la comunicación como elemento esencial para el éxito en la relación entre padres e hijos.

Al realizar este libro he confirmado mi convicción de que la comunicación, educación, psicología, logoterapia, espiritualidad, desarrollo humano y pedagogía van muy de la mano para mejorar la relación en la familia.

Es de notar que la mayoría de los padres que actúan en forma negativa al tratar de corregir la conducta de sus hijos son totalmente inconscientes e incurren al maltrato infantil. Esto se debe a que han sido educados dentro de un marco rígido y severo, el cual tienden a reproducir en la educación que proporcionan a sus hijos. Los resultados porcentuales son alarmantes, de ahí la importancia de informar y educar a los padres para que estén conscientes y sepan, a la vez, educar adecuadamente a sus hijos.

Los padres deben sembrar confianza en los hijos, e ins-truirles a estar abiertos y creerlos capaces, bondadosos, fe-lices y enseñarles a vivir con plenitud. Es un punto muy importante en la educación del ser humano; en el cual no debe perderse de vista que la palabra educar (E-ducere, es sacar afuera, conducir hacia fuera), lo cual significa ayudar a sacar de la persona lo mejor de sí misma. En otras palabras, con gran dedicación y empeño los padres tienen el deber de ir guiando a sus hijos, resaltando sus cualidades y opacando sus defectos, para hacer de ellos mejores individuos.

También se piensa, equivocadamente, que educar es ejer-cer cualquier tipo de influencia de un adulto sobre un pe-queño, imponiendo la autoridad, logrando que haga caso. Sin embargo, es mucho más que eso. Consiste en todas las interacciones entre padres e hijos, las cuales incluyen las actitudes, valores, intereses y creencias de los padres, lo mismo que los cuidados que imparten al niño y la informa-ción que les dan.

"Los padres de familia tienen la obligación de hacerse cargo de sus hijos y de enseñarles a tener un comportamiento respetuoso y responsable" (Dobson 2002). Al momento que los progenitores logran conectarse con sus hijos su conducta cambia y esto favorece a los lazos afectivos en la familia. Disciplina no es castigo, sino educación, ense-ñanza. Cuando disciplinamos a un niño o adolescente le estamos enseñando a comportarse de forma responsa-ble, constructiva y beneficiosa para sí mismo y para los demás (Tierno 2004).

Según Moreno (2002): el maltrato emocional se define como la hostilidad verbal crónica en forma de insulto, desprecio, crítica o amenaza de abandono y constante bloqueo de las iniciativas de interacción infantiles (desde la evitación hasta el encierro o confinamiento) por parte de cualquier miembro adulto del grupo familiar.

La cantidad de niños maltratados va en aumento como el llamado "síndrome del niño golpeado", que se refiere al daño que un responsable del cuidado del menor le puede provocar a éste (De la Cruz y Valdez 2002).

La palabra "gritar", se usa en la acepción en que la usan muchos niños, a saber, en el sentido de un regaño reiterativo o ataques verbales de mal genio. No se refiere con lo anterior únicamente a la elevación del volumen de la voz, lo cual, en sí mismo, no es destructivo, sino a la forma con la que se llevan a cabo los gritos (Wahlroos 1979).

Las modernas técnicas psicológicas de modificación de conducta han contribuido de manera inteligente a dar un paso gigante en la labor educativa. El educar sin razones. "porque sí", "porque lo mando yo", "los niños no discuten", "los niños se callan", "los niños no opinan", entre otras, ya quedaron atrás (Tierno 2004).

La serie el Método del Lenguaje del Cariño, de Editorial Picolo, tiene como finalidad básica establecer las bases de una educación racional que redunda en un ambiente de armonía familiar, lo cual a su vez hace posible la formación de hijos seguros, inteligentes y con independencia de criterio. Necesitamos de una nueva revolución educativa, deben abandonarse los antiguos, rígidos e ineficaces modelos de relación padres-hijos, enfatizando el valor de la comunicación. Asimismo, la sustitución de los regaños y los castigos por el método que consiste en enseñar a los hijos que sus actos tienen consecuencias, y deben hacerse responsables de ellas, es una aportación que ha demostrado en los hechos ser una forma no solamente más humana y racional, sino también de un valor educativo mucho más valioso e importante.

Bibliografía

1. *Antología de la sexualidad,* volumen 1, págs. 299 a la 329. México 2002. Miguel Ángel Porrúa.
2. Bernstein, N. 2009. *Siempre Contigo.* España: Urano. 283 págs.
3. Blanco, I. 2004. *Padres comprometidos, familias felices.* México: Norma. p. 87
4. Brizendine, L. 2007. *El cerebro Femenino.* España: RBA. 285 págs.
5. Castillo, G. 2002. *Tus hijos Adolescentes.* España: Hacer familia. pp. 79 a la 115.
6. Catañeda, M. *Machismo invisible.* México, 2002. Ed. Grijalbo. pp. 64 y 65.
7. Dobson, J. 2002. *Cómo criar a los varones.* Estados Unidos: Unilit. p. 293.
8. Döring, M. 2005. *La pareja. México:* Fontamara. P. 161 a la 169.

9. Nelsen, J. Lott, L. *Disciplina Positiva para adolescentes*. México 2003. Ediciones Ruz. Pág. 8 a la 36.

10. Schmitz, C. Hipp, E. 2005. *Cómo enseñar a manejar el estrés*. México: Editorial Pax. P. 16 y 17.

11. González, J. 2003. *Cómo hablar con los hijos*. España: Edimat libros. P. 17 a la 23.

12. González, M. 2003. *La adolescencia, edad crítica*. España: Guía de padres, págs. 7 a la 20.

13. Nelsen, J y Lott, L. 2003. *Disciplina Positiva para adolescentes*. México: Ediciones Ruz. 430 págs.

14. Ramirez, M. 2003. *La adolescencia, edad crítica*. España: Edimat libros. P. 21 a la 25.

15. Shapiro, L. 2000. *La inteligencia emocional de los niños*. México: Grupo Zeta. P. 180 a la 185.

16. Tierno, B. 2004. *Los problemas de los hijos*. Madrid: San Pablo. p.p. 225 a la 228.

17. Tierno, B. 2004. *Vivir en familia*. Madrid: San Pablo. pp. 19-23.

18. Tierno, B. & Giménez, M. 2004. *La educación y el desarrollo escolar del preadolescente de 10 a 12 años*. Madrid: Aguilar. pp. 35-45.

19. Vallejo-Nágera, A. 2006. *La edad del pavo*. Madrid: Temas de hoy. pp. 64-70.

20. Von, A. 2008. *¿Quién entiende a los hombres?* Colombia: Grupo Editorial Norma. P. 3 a la 16.

21. Lujambio, J. 2009. *Papá, ¿por qué no estás aquí?* México: Editorial Planeta. pp. 62 a la 70.